Elogios para *Triunfe con integridad*

"El grito ferviente de John Bogle es una invitación a que usted *¡Triunfe con integridad!* Contiene lecciones de vida plasmadas en un compendio de conceptos inspiradores relacionados con nuestro papel, no sólo en la sociedad sino también en los negocios. Empleando una recopilación, mezcla de anécdotas personales, evidencias contundentes y amonestaciones —con frecuencia subestimadas—, Bogle nos reta a querer convertirnos en mejores miembros de nuestras familias, en profesionales más eficientes y en ciudadanos más cívicos. Rara vez unas cuantas páginas provocan tantas reflexiones. ¡Tienes que leerlo!".

—David F. Swensen,
Jefe del Departamento de Inversiones,
Universidad de Yale

"*¡Triunfe con integridad!* le da un nuevo significado a las palabras 'compromiso', 'responsabilidad' y 'camaradería'. Bogle escribe con claridad y pasión; sus estándares lo convierten en un modelo de comportamiento para todos nosotros. Esta es una lectura obligatoria para millones de inversionistas de Estados Unidos desencantados de la cultura avara actual y confundidos ante las distorsiones contables, las fechorías corporativas y los fraudes impunes".

—Arthur Levitt,
anterior Presidente de U.S. Securities
and Exchange Commission

"El maravilloso, amable, útil y divertido libro de John Bogle me inspiró a inventarle mi propio título: *¡Nunca es suficiente de John Bogle!*".

—Peter L. Bernstein,
autor de *Capital Ideas Evolving* y *Against the Gods*

"John Bogle, la 'consciencia de Wall Street', fundó sin ayuda de nadie Vanguard Group, —la cual sigue siendo la única organización *colectiva* de fondos de inversión—, y luego fue ampliándola hasta convertirla en el amable gigante que consolida las metas de jubilación, educación y filantrópicas de millones de estadounidenses. Ahora en *Triunfe con integridad* Bogle condensa en sólo unos cientos de entretenidas páginas lo que él ha observado durante medio siglo en los mercados de capitales. Esta es una lectura indispensable para quienes se preocupan por su futuro personal y el de sus familias así como del futuro de la nación".

—William J. Bernstein,
autor de *A Splendid Exchange* y *The Four Pillars of Investing*

"Este es un mensaje sorprendente de parte de un distinguido hombre de negocios. Retará a quienes tienen bajo su responsabilidad la toma de decisiones a evaluar la eficiencia y dirección de su vida personal y laboral. ¿Qué significa eso de *Triunfe con integridad*? ¿*Integridad* de qué? ¿*Integridad* para qué? Medita en esto y anímate".

—Robert F. Bruner, Decano y Profesor con el título Charles C. Abbott de Administración de Empresas, Escuela de Posgrado en Negocios de Darden, Universidad de Virginia

"De 'luchador' a 'luchador': gracias por resumir en un corto libro la premisa para lograr una larga y activa vida. Un manual para aquellos que están dispuestos a renunciar a una vida de autocomplacencia sin límites para disfrutar de la satisfacción que proporcionan los resultados de la lucha diaria".

—Ira Millstein, Socio principal de Weil Gotshal & Manges LLP

"¿Qué salió mal? ¿Qué puede y debería salir bien? El gran John Bogle tiene las respuestas. *Triunfe con integridad* lo dejará con ganas de más".

—James Grant, Editor de *Grant's Interest Rate Observer*

"El más reciente libro de John, *Triunfe con integridad*, presenta con claridad y sencillez el equilibrio que debemos lograr para conformar y administrar tanto una empresa como nuestra propia vida. Desafortunadamente no hay suficientes John Bogle en el mundo de hoy que tanto busca la gratificación inmediata. *Triunfe con integridad* debería ser una lectura obligada para los estudiantes de negocios y todo miembro de una junta directiva".

—David L. Sokol,
Presidente de MidAmerican Energy Holdings Company

"Un solo John Bogle tiene más sentido común que toda la turba de Wall Street. Si abres este libro quedarás atrapado después del primer párrafo, igual que yo. Pero sigue leyendo. Este manual produce muy buenas utilidades".

—Alan S. Blinder, Codirector del Centro de Estudios de Política Económica de la Universidad Princeton y ex-Vicepresidente de la Junta de Gobernadores del Sistema de Reserva Federal

"Aunque *Triunfe con integridad* es un libro corto, la sabiduría de John Bogle es extensa y profunda. Sus mensajes son especialmente significativos ya que todos padecemos en medio de la crisis moral, económica y financiera que enfrentamos en la actualidad".

—William H. Donaldson,
ex-Presidente de la Comisión de Valores de los Estados Unidos

"Este es el libro que todos los actuales seguidores de Bogle esperaban y que animará a muchos más a seguirlo. Ofrece la fascinante perspectiva autobiográfica de uno de los financieros más vanguardistas de la nación y al mismo tiempo es un sabio manual de perspectivas de vida e inversión inteligente. Sus reflexiones personales evitan la jerga financiera técnica y muestran el camino de escape para huir de la desesperada búsqueda de 'más' sin importar 'lo que haya que hacer'. Términos como *confianza, valor, éxito, satisfacción, mayordomía, carácter y contribución* se entretejen formando un tapiz de vida que les recuerda a los lectores experimentados cómo dominar la rutina en sus vidas y guía a los lectores jóvenes a controlar su destino desde el comienzo de su carrera. Cuando John Bogle habla, los directores ejecutivos, los académicos y el resto de todos nosotros, escuchamos... o *deberíamos* escuchar".

—Profesor Jeffrey Sonnenfeld,
Decano Principal Asociado de la Escuela de Gerencia de Yale

Triunfe con integridad

La medida real del dinero,
los negocios y la vida

John C. Bogle

TALLER DEL ÉXITO

Triunfe con integridad

Publicado por:
Taller del Éxito, Inc.
1669 N.W. 144 Terrace, Suite 210
Sunrise, Florida 33323
Estados Unidos

Editorial dedicada a la difusión de libros y audiolibros de desarrollo personal, crecimiento personal, liderazgo y motivación.
Diseño de carátula y diagramación: Diego Cruz
Primera edición impresa por Taller del Éxito 2012.

ISBN 10: 1-607381-43-5
ISBN 13: 978-1-60738-143-3

Printed in the United States of America
Impreso en Estados Unidos

13   14   15   16   17   R|UH 06   05   04   03   02

Contenido

LA VIDA

CONCLUSIÓN:
¿Qué es triunfar con integridad?

Prefacio

Mi profesor de Civilizaciones Antiguas en Georgetown nos enseñó que Estados Unidos llegó a ser la nación más grande de la Historia porque nuestro pueblo siempre creyó en los dos principales pilares de la civilización occidental: que el futuro puede ser mejor que el presente y que todos tenemos una obligación moral y personal para lograr que así sea. Él lo llamaba "la consciencia sobre el futuro".

En años recientes algunos líderes financieros de Estados Unidos se han distanciado de esos principios acumulando grandes riquezas para el presente sin tener en cuenta las consecuencias futuras. En Estados Unidos y en todo el mundo seguimos viviendo con las repercusiones producidas por esta conducta en los negocios, parte de la cual es ilegal, pero resulta infructuosa en su totalidad. No podemos seguir el mismo camino que llevábamos antes de las más recientes crisis financieras, no si queremos construir un mejor futuro.

En *Triunfe con integridad* John C. Bogle hace un convincente recuento de lo que salió mal y nos condujo a la crisis y da claros consejos respecto a cómo restaurar nuestro sistema financiero y crear un mundo más próspero y equitativo. Su libro es un importante llamado a la acción para hacer volver los principios morales y la integridad a nuestros asuntos financieros de tal forma que estos respalden el crecimiento económico pero sin socavarlo a largo plazo.

1

Con sus impecables credenciales en finanzas, Bogle nos recuerda que Estados Unidos se construyó sobre una tradición de trabajo duro, moderación y deber; además muestra porqué cuando los valores se sacrifican en la búsqueda del éxito, tarde o temprano surgen resultados destructivos que afectan a muchos inocentes. En esta reflexión sobre ambición y sociedad, Bogle afirma que no debemos medir el significado de nuestra vida basándonos en ganancias conseguidas de manera rápida. Más bien, lo que sí vale la pena es hacer contribuciones a largo plazo a la comunidad, en las cuales hasta los financistas más poderosos son simples facilitadores con el deber de ayudar a que los demás alcancen sus sueños.

En nuestra era digital de alta velocidad, en la que, antes de la crisis actual, más de $2 trillones de dólares cruzaban fronteras a diario, el análisis y argumentos de Bogle parecen, a primera vista, sorprendentemente anticuados. Pero nuestras convicciones arraigadas hacen que *Triunfe con integridad* sea más relevante que nunca. Nuestras acciones tienen profundas consecuencias tanto al interior como más allá de nuestros límites. Hacemos mal al ignorarlas sólo por buscar beneficios propios. Tener consciencia de las consecuencias futuras todavía sigue siendo importante. Retomémosla.

John Bogle es un hombre bueno e inteligente y todo ciudadano interesado puede aprender y beneficiarse de las importantes lecciones que él comparte con nosotros en *Triunfe con integridad* recordándonos que lo dicho por Alexis de Tocqueville hace mucho tiempo acerca de nuestra nación sigue siendo cierto: "Estados Unidos es grande porque es bueno, y si alguna vez deja de ser bueno, también dejará de ser grande". *Triunfe con integridad* se trata de ambas cosas.

WILLIAM JEFFERSON CLINTON,
ex-Presidente de los Estados Unidos
Marzo de 2010

Prólogo

A finales de la década de 1970 comencé un viaje con Bob Waterman analizando cómo eran administradas las empresas exitosas y los resultados de ese análisis me condujeron a la publicación de *In Search of Excellence*. A lo largo de ese recorrido encontramos un extraordinario elenco de personajes. Entre ellos nos fue posible conocer a Jim Burke, Director Ejecutivo de Johnson & Johnson, quien al ser acosado con la infame crisis de Tylenol en 1982, se convirtió al cuasi religioso "Credo" de J&J. Esta compañía dirigida por principios esenciales enfrentó la crisis con tal integridad y transparencia, las cuales permanecen vigentes como un recordatorio del poder de las organizaciones que están cimentadas en los valores.

También nos relacionamos con Delta Airlines, la cual se encontraba sumida en la crisis debido a la recesión de principios de la década de 1980. ¡El balance general de la compañía recibió un gran apoyo por parte de sus empleados cuando ellos decidieron comprarle un avión a la empresa! McDonald's también afrontaba con rigor los primeros años de 1980 cimentada sobre los fundamentos de calidad, servicio, transparencia y valor (QSC&V, por sus siglas en inglés) establecidos por su fundador Ray Kroc. Y además John Young de Hewlett-Packard administraba rondando por todo lado a lo largo y ancho de su empresa (MBWA, por sus siglas en inglés) y contratando empleados de línea para proyectos específicos.

3

El concepto clave de nuestro libro quedó resumido así: "Lo difícil es fácil. Lo fácil es difícil". Como ingenieros con Maestrías en Administración de Empresas y como Consultores McKinsey, estábamos firmemente arraigados en las virtudes de las mediciones y la métrica —¡pero además sabíamos muy bien qué tan extremadamente engañosos pueden llegar a ser los números! Supuestamente las cifras exactas una y otra vez terminan siendo abstractas. Enron y Circa 2.000, —planeadas por egresados de la Escuela McKinsey de Negocios en Harvard—, así como las derivativas, superderivativas y las permutas de incumplimiento crediticio de los años 2000, —diseñadas por PhDs—, surgieron debido a cifras tan débiles que posteriormente se vinieron abajo.

¿Qué es lo importante? ¿Lo realmente "difícil"? La integridad. La confianza. Los valores duraderos (como el "Credo" de J&J). Las relaciones profundas. La buena ciudadanía empresarial. Escuchar al cliente y al empleado de primera línea para tomar acciones con base en lo que ellos nos dicen. La calidad inigualable, razón de la pesadilla de comienzos de 1980. Y sí, también la excelencia. Esos son los valores que en su mayoría no enseñaron ni enseñan en las escuelas de negocios pero que son el fundamento de una empresa efectiva.

Los recuerdos de ese asombroso viaje fueron los que explicaron por qué en medio de la recesión del 2007 y los años subsiguientes retomé sin ninguna razón en particular el libro de Jack Bogle, *Triunfe con integridad*. Rápidamente supe, aún estando de pie en la librería, que no podía dejarlo. Esto explica por qué ahora lo he leído en su totalidad en 4 oportunidades; por qué he doblado 57 páginas para volver a leerlas una y otra vez; por qué he regalado más de 50 copias a amigos y colaboradores; también explica por qué, lo admito casi con vergüenza, lo llevo cuando viajo de Angola a Abu Dhabi, a China y a Chicago. *Triunfe con integridad* ha adquirido un significado totémico. Mientras preparo un seminario en, digamos, Novosibirsk, Siberia, lo hojeo y me evalúo para ver si me he metido de cabeza en algún oscuro y teórico rincón olvidando la supuestamente anticuada lección de personas como Bill Hewlett respecto a administrar rondando por todas partes (MBWA por sus siglas en inglés), tal como lo hacía John Young.

La novela de suspenso del escritor australiano Peter Temple, *The Broken Shore*, fue galardonada con montones de premios alrededor del mundo. Muchos comentaristas destacados opinaron lo mismo. En efecto, "esta no es una gran novela de suspenso, esta es una gran *novela*". Eso es precisamente lo que siento acerca de *Triunfe con integridad*. No es un gran libro sobre finanzas. No es un gran libro de negocios. Es un gran *libro*. Punto.

Jack Bogle escribe en un lenguaje sencillo y sus argumentos son directos y basados en una asombrosa suma de observaciones. Aunque es financista, no nos presenta ni una sola ecuación cuando nos guía por las finanzas, los negocios y la vida misma. No es exagerado decir, con algo de certeza a la edad de 67 años, que este evidentemente *es* el mejor libro de negocios que jamás haya leído, así como también el mejor manual de vida que ha llegado a mis manos, salvo, tal vez, las obras del colega filadelfiano de Bogle, ¡el viejo y sabio Ben Franklin!

Jack Bogle y la organización que fundó en 1974, The Vanguard Group, han sido reconocidos una y otra vez de manera amplia por esa clase de excelencia que encendió tan brillante y verazmente una lámpara para Bob Waterman y para mí en los años de 1980. Jack Bogle es uno de los más grandes financistas de nuestra era y probablemente de todos los tiempos. Él y Vanguard han contribuido en el bienestar financiero y la seguridad de millones y millones de personas. Su secreto es la total convicción de que a largo plazo no se puede derrotar al mercado y de que, por consiguiente, el mejor rendimiento vendrá de los fondos de índice que les devuelven a los inversionistas y propietarios su valor mejorado prácticamente en su totalidad. Su vida y obra se han desarrollado sobre un cimiento sólido de integridad, transparencia, sencillez y valor.

Es interesante el hecho de que nunca he conocido a Jack y por desgracia tampoco he invertido con Vanguard y por tal razón no tengo ningún tipo de interés al hacer estas observaciones y presentar este libro como la joya sin igual, tal vez transformadora, que sin duda creo que es. Mi vida adulta la he dedicado a tratar de ayudar a otros a administrar sus organizaciones de la forma más efectiva posible y he descubierto, al igual que Jack Bogle, que ser directo es mejor, y que el carácter, la integridad, el sentido común y la decencia, son claves tanto para dirigir empresas de todo tipo como para llevar un estilo de vida bien aprovechado en función del servicio a los demás.

No lograré lo mejor de este libro en el prólogo. Traté de hacerlo en un primer borrador pero quedó opacado por 57 páginas dobladas, cada una de importancia personal permanente para mí. La conversación directa de Jack está escrita en una prosa libre y lúcida que me avergüenza. Sin embargo puedo darte una prueba de lo que viene con sólo ofrecerte los títulos de los capítulos. El contenido del libro me cautivó por completo al examinar la página del índice:

"Demasiado costo, poco valor"

"Demasiada especulación, poca inversión"

"Demasiada complejidad, poca simplicidad"

"Demasiada contabilidad, poca confianza"

"Demasiada conducta empresarial, poca conducta profesional"

"Demasiadas habilidades de venta, pocas habilidades de administración"

"Demasiada gerencia, poco liderazgo"

"Demasiada concentración en las cosas, poca concentración en el compromiso"

"Demasiados valores del Siglo XXI, pocos valores del Siglo XVIII"

"Demasiado 'éxito', poco carácter".

Me siento inclinado a raptar estos títulos para hacer de ellos mis "Diez mandamientos". Todos y cada uno encierran mejor que nada de lo que he visto antes, el estilo de vida que espero estar viviendo y liderando, así como la clase de opiniones que anhelo que los demás expresen respecto a mis logros al momento de mi partida.

En la actualidad comienzo mis conferencias con un par de diapositivas en PowerPoint. La primera se refiere a una celebración en honor al inigualable hotelero Conrad Hilton. Se dice que después de un lujoso asado el Sr. Hilton fue invitado al podio y le pidieron que compartiera los secretos de su magnífica carrera. Él se puso frente al público y dijo: "No olviden acomodar la cortina de la ducha dentro de la bañera".

Y al culminar esa frase volvió a su asiento.

La segunda diapositiva hace referencia a una conferencia cerca de Monterrey, California, hace unos 20 años, durante la cual estuve conversando con el presidente de un exitoso banco comunitario del Medio Oeste. Al vernos envueltos en la crisis financiera del 2007 recordé con claridad sus palabras: "Tom, permíteme decirte lo que hace un exitoso funcionario de préstamos: el domingo, después de la iglesia, mientras él lleva a su familia de vuelta a casa, toma un pequeño desvío para pasar por una fábrica o centro de distribución al que le haya prestado dinero. No entra ni nada, sólo pasa, mira de reojo y sigue su camino a casa".

La cortina de la ducha.

La sencillez de pasar por una empresa.

Con eso es suficiente.

TOM PETERS
Golden Bay, Nueva Zelanda, Abril 2010

Nota del autor

Una crisis de
proporciones éticas

A comienzos del mes de septiembre del 2008, justo después de terminar el manuscrito de *Triunfe con integridad*, el gobierno federal falló en contra del rescate de la firma de inversión bancaria Lehman Brothers Holdings. Esta organización, lo supiera o no, estaba en bancarrota. Luego el Secretario del Tesoro, Henry Paulson, describió una cantidad de tóxicas inversiones de Lehman, las cuales estaban registradas por un valor de $52 billones de dólares pero cuyo valor estimado era de tan sólo $27 billones, parte de un inmenso déficit de capital que inevitablemente condujo a la desaparición de la entidad.

Rápidamente hubo poderosos ecos de parte del gobierno respecto a la decisión de permitir la caída de Lehman. La decadencia del mercado de valores que comenzó a mediados del 2007, cuando el Promedio Industrial de Dow Jones alcanzó un tope de 14.160, acelerado, con la caída del Dow 510 puntos hasta 10.910 cuando el mercado volvió a abrirse después del colapso de Lehman. Ese fue sólo el comienzo. Durante las siguientes 6 semanas el Dow cayó a 7.550. Después de unos meses de consolidación volvió a desplomarse hasta 6.550 en marzo del 2009 —una impresionante caída del 54% desde el tope,

9

equivalente a un desplome de $9 *trillones* en acciones bursátiles, la mayor caída desde la década de 1930.

Desde luego, el mercado de valores simplemente estaba anticipando y luego reflejando la realidad de la crisis económica que ocurrió posteriormente. Los bancos eliminaron trillones de dólares en los valores sobre los cuales se reflejaban los activos tóxicos en sus balances generales. La actividad empresarial decayó bruscamente y la producción económica de nuestro país se desplomó. El desempleo se disparó; el crédito se hizo escaso y con frecuencia inalcanzable; así llegamos al más profundo abismo económico desde la Gran Depresión.

Causas del colapso

Las causas de este colapso no son secretas. Aunque usualmente se afirma que "la victoria tiene mil padres, pero la derrota es huérfana", la desgracia sufrida por los inversionistas en nuestra devastadora crisis financiera parece tener, hablando en sentido figurado, mil padres. Después de la caída del mercado de valores entre los años 2000 y 2002 la Reserva Federal mantuvo muy bajas las tasas de interés y falló en imponer disciplina a los bancos sobre los préstamos hipotecarios. Nuestras bancas de ahorros e inversiones no sólo diseñaron y vendieron bonos equivalentes a trillones de dólares, increíblemente complejos y riesgosos respaldados por hipotecas y decenas de derivados equivalentes a trillones de dólares (en su mayoría permutas de incumplimiento de crédito) basados en esos bonos, sino que también se quedaron con la Bolsa, con muchos de estos derivados tóxicos altamente apalancados registrados en balances generales, en ocasiones por un valor de hasta 33 a 1 o más. Sólo haz la operación: nada más un 3% de reducción en el valor de activos elimina el 100% del patrimonio de los accionistas.

Estas instituciones también nos trajeron secularización vendiendo préstamos como respaldo a instrumentos financieros no probados y cortando el vínculo tradicional entre el prestamista y el prestador. Con ese cambio el incentivo para exigir la solvencia crediticia de quienes tomaban el préstamo prácticamente se desvaneció cuando los bancos prestaron el dinero, sólo para vender los préstamos a los creadores de esos nuevos instrumentos financieros. En la industria bancaria hemos recorrido un camino desde cuando los préstamos comunitarios se basaban en la honradez financiera y el carácter del prestante, el tipo de cosas que vimos en *It's A Wonderfoul Life* (¿Recuerdas a Jimmy Stewart como George Bailey y el crujiente Mr. Potter de Lionel Barrymore?).

Los reguladores de nuestro mercado también tienen mucho por responder: la Comisión de Valores fue prácticamente apática al no reconocer lo que estaba sucediendo en los mercados de capital. La Comisión de Comercio en Futuros sobre Mercancías (CFTC, por sus siglas en inglés) permitió que la comercialización y valoración de derivados avanzara en las sombras, sin exigir la claridad de la divulgación completa y sin preocuparse por la capacidad de las contrapartes para cumplir con sus obligaciones financieras si sus apuestas salían mal.

Y no olvidemos al Congreso, el cual le pasó la responsabilidad de regulación del mercado de derivados a la CFTC casi a última hora. El Congreso también permitió, y sin duda fomentó, la toma de riesgos por parte de empresas patrocinadas por nuestro gobierno (ahora prácticamente propiedad del mismo), Fannie Mae y Freddie Mac, permitiéndoles extenderse mucho más allá de la capacidad de su capital y presionándolas a reducir sus estándares de préstamo. Además el Congreso destruyó la Ley Glass-Steagall de 1993, la cual tenía un depósito bancario tradicional separado para los negocios más riesgosos de la banca de inversiones, una separación que sirvió muy bien a nuestro interés nacional por más de 60 años.

Nuestros analistas profesionales de seguridad también tienen mucho que responder, en especial por su fracaso casi universal, al no reconocer los altos riesgos de crédito asumidos por una nueva generación de banqueros y banqueros de inversiones mucho más interesados en que las utilidades de sus entidades crecieran, que en la sanidad de sus balances generales. Nuestras agencias de calificación de crédito hacen lo mismo, otorgan calificaciones AAA en créditos bursatilizados a cambio de enormes honorarios los cuales a su vez generosamente pagan los mismos emisores que exigieron esas calificaciones, permitiendo que los que resultaron ser en gran medida bonos basura, fueran comercializados como valores de alta calidad. (Sí, eso se llama conflicto de intereses).

Un fracaso del capitalismo

Pero algo más fundamental también tuvo lugar, un fracaso del capitalismo, el cual sencillamente no ha funcionado de la forma que se suponía. Hemos confiado en la "mano invisible" de Adam Smith, es decir que al buscar nuestros propios intereses a la larga nos lleva al bien de la sociedad. Pero esta filosofía basada en el mercado libre ha fracasado. Los principios que se aplicaban a un mundo de empresas más pequeñas y comunidades más íntimas sencillamente perdieron efectividad en una era de corporaciones mundiales gigantescas e instituciones financieras inmensas (e independientes).

Esta posición no es sólo mía. También es la posición de algunas de las mentes más inteligentes y respetadas de la nación. Por ejemplo, el Juez de Chicago Richard Posner (líder de la conservadora escuela de economistas "Chicago School") tituló su libro sobre la postcrisis: *A Failure of Capitalism*. De manera más patética, es la misma opinión del ex-Presidente de la Reserva Federal, Alan Greenspan, quien fue clave para el desarrollo de la burbuja financiera y el inevitable estallido que le siguió. Tuvo éxito animando a sus compañeros gobernadores federales a que siguieran haciendo disponible el crédito fácil, aunque hacía mucho tiempo había llegado la hora de reducir el crédito, lo cual afectó el vínculo esencial entre los prestamistas y los prestadores. El análisis intelectual de Greenspan, y su poder para mover el mercado, resultó estar cimentado en una falsa premisa.

Tiene a su favor que admitió el error ante el Congreso en octubre del 2008. Esto es lo que dijo el reportero del *New Yorker*, John Lanchester, al respecto:

Greenspan reconoció que la crisis fue inducida por 'un tsunami de crédito que sólo se da una vez cada siglo', el cual surgió desde el colapso de 'todo un edificio intelectual'. 'Quienes hemos confiado en el interés propio de las instituciones prestamistas para proteger el patrimonio de los accionistas, especialmente yo, estamos en una condición de asombrosa incredulidad, dijo. 'Esta falta de interés propio por autorregularse', añadió, 'fue un defecto en el modelo que percibí como la estructura de funcionamiento crítico que define cómo funciona el mundo'.

Vale la pena detenerse en esa frase: 'La estructura de funcionamiento crítico que define cómo funciona el mundo'. Sin duda, haber encontrado un defecto en eso es algo muy importante. Esta es otra forma de describir ese defecto: quienes estaban en el poder pensaron que sabían más de lo que realmente sabían. Evidentemente, los banqueros sabían demasiadas Matemáticas pero poca Historia, o probablemente no tenían suficiente conocimiento de ambas.

A lo cual yo añadiría: ¡Sin duda, suficiente, ya basta!

La historia de *Triunfe con integridad*

Muchos de estos sucesos se anunciaron en las páginas de *Triunfe con integridad*, el cual, en retrospectiva parece extrañamente profético e incluso predictivo. La idea básica detrás de *Triunfe con integridad* la expresé por primera vez en mayo del 2007 en un discurso de graduación ante los estudiantes de MBA de la Universidad de Georgetown. Posteriormente en este libro encontrarás más sobre ese discurso, pero es importante considerar en este punto algo del contexto de mis comentarios:

'El dinero' ha llegado a ser cada vez más importante en nuestra sociedad. Es el gran dios del prestigio y la gran medida del hombre (y la mujer). Así que en esta mañana tengo la osadía de

pedirles a ustedes, que en breve serán nombrados graduados de MBA, quienes en su mayoría ingresarán al mundo del Comercio, que analicen conmigo el papel que juegan los valores morales en los negocios y en el emprendimiento de nuestra sociedad, así como en el sistema financiero en nuestra economía, y en la manera en que ustedes llevarán estos valores a los campos de acción que elijan para sus profesiones.

Si bien es cierto que alguna vez, en alguna profesión los negocios fueron serviles, el campo de la administración del dinero —'Wall Street'—, se ha convertido en un negocio en el que la profesión es servil. El profesor de la Escuela de Negocios de Harvard, Rakesh Khurana, tenía razón cuando con estas palabras definió la conducta de un verdadero profesional: 'Crearé valor para la sociedad en lugar de extraérselo'. Y aun así, la administración de dinero, por definición, extrae valor de las utilidades obtenidas por nuestros negocios empresariales.

Si entran al campo de la administración del dinero, háganlo con los ojos bien abiertos, reconociendo que, cualquier empresa que le reste valor a sus clientes, en tiempos más difíciles que estos, puede verse minada con su propia dinamita. En Wall Street se suele decir, con verdad, que 'el dinero no tiene consciencia', pero no permitan que esa posición los haga ignorar su propia consciencia ni alterar su propia conducta y carácter.

Ahora, 3 años después de ese discurso de graduación, sin duda el sector financiero ha sido "volado con su propia dinamita", frase de Shakespeare que quiere decir "ser víctima de su propio invento". La economía ha seguido el ejemplo. Las ganancias de las entidades financieras en el año 2006, citadas en mi discurso de Georgetown, de $215 billones de dólares, se desplomaron a *pérdidas* de $233 billones en el 2008, una diferencia de casi *medio trillón* de dólares. (En el año 2009 las utilidades habían vuelto al sector pero solamente fueron de escasos $29 billones).

Entonces ¿qué hay que hacer?

Además de solucionar los temas específicos que han desviado la atención hacia la crisis financiera, también debemos tomar decisiones para evitar crisis futuras, algunas de las cuales podrían ser iguales, aunque otras inevitablemente distintas. A continuación está el resumen de lo que pienso que debería hacerse:

Lograr que el *daño moral* retome su lugar correcto en el sistema bancario enfrentando aquello de "el sistema es demasiado poderoso como para fallar". Sí, debería haber una agencia federal que vigilara el riesgo financiero, pero el primer paso bien podría ser "¡permitir que la banca fracase!". Para esto se debería:

◇ Levantar el velo de clandestinidad que rodea los derivados mediante la exigencia de mercados transparentes.

◇ Elevar sustancialmente los requisitos de capital bancario (por ejemplo, reducir el apalancamiento) y aumentar la calidad de las inversiones en los balances generales (por ejemplo, reducir el riesgo).

◇ Establecer una agencia independiente de protección al consumidor.

◇ Hacer volver la Ley Glass-Steagall de 1933, separando la banca comercial (de captación de fondos) de la banca de inversión (suscripción, créditos puente, etc.).

◇ Desarrollar incentivos cimentados en el mercado para reducir el apalancamiento entre nuestras instituciones financieras, corporaciones y hogares, eliminando gradualmente el interés como gasto deducible de impuestos.

◇ Establecer una norma federal de deber fiduciario para los administradores de dinero institucional, quienes en la actualidad controlan el 70% de todas las acciones de las corporaciones estadounidenses que cotizan en la Bolsa. Al exigirles a estos agentes que sirvan únicamente para los intereses de sus directivas, ellos actuarían con la debida diligencia en la selección de títulos valores y asumirían los derechos y responsabilidades por participar en el gobierno de las corporaciones cuyas acciones poseen.

Una crisis ética

Pero subyacente a esta crisis hay otro factor mucho más importante que todos, presente en toda nuestra sociedad actual y que está bien expresado en una carta que recibí de un accionista de Vanguard, quien describió la crisis financiera global como "una crisis de proporciones *éticas*". Sustituir *épicas* por *éticas* es un buen giro a la frase y acertadamente le atribuye gran parte de la responsabilidad de la crisis al amplio deterioro de los estándares éticos tradicionales en nuestra sociedad.

El comercio, los negocios y las finanzas, difícilmente han sido la excepción a esta tendencia. Al depender de la mano invisible de Adam Smith hemos dependido del mercado y la competencia para crear prosperidad y bienestar. Pero el interés propio se salió de las manos. Creó una sociedad "concreta" en la que el éxito se mide únicamente en términos monetarios. Los dólares se convirtieron en la moneda del nuevo reino. Las desenfrenadas fuerzas de mercado abrumaron los estándares tradicionales de conducta profesional desarrollados durante siglos.

El resultado ha sido un cambio del absolutismo moral al relativismo moral. Repitiendo lo que vas a leer posteriormente, hemos pasado de ser una sociedad en la que "hay algunas cosas que sencillamente no se hacen" a una en la que "todos los demás lo hacen, así que yo también puedo hacerlo". En la confusión se han perdido los estándares de la ética en los negocios y profesional. La fuerza motora de cualquier profesión no solamente incluye conocimientos especiales, destrezas y estándares que ésta exija, sino también el deber de servir con responsabilidad, desinteresada y sabiamente, estableciendo una relación inherentemente ética entre los profesionales y la sociedad. La vieja noción de confiar y ser digno de confianza —que no solamente fue el estándar aceptado para la conducta de negocios en algún momento, sino la clave del éxito—, llegó a ser vista como una reliquia original de una era pasada. De alguna manera, nuestra sociedad debe ser impulsada a actuar para volver a ese estándar.

Aceptación pública

Desde la publicación inicial de *Triunfe con integridad* he visto con alegría algunas primeras señales de un creciente entendimiento de los factores que yacen tras la crisis. Muchas voces respetadas e independientes se han unido para hacer eco a los múltiples temas de este libro. Mira lo que Thomas L. Friedman, autor de exitosos libros y columnista de *The New York Times*, escribió a comienzos del año 2010: "Nuestra crisis financiera fue el resultado de un amplio desajuste ético nacional". El Director Ejecutivo de General Electric, Jeffrey Immelt, manifestó una perspectiva similar cuando fue citado en *The Financial Times*: "Al final de una difícil generación de liderazgo empresarial, la habilidad de tomar decisiones difíciles, la cual es una buena cualidad, fue remplazada por la mezquindad y la codicia, ambas cualidades terribles... Las recompensas se pervirtieron y los más ricos cometieron la mayor cantidad de errores sin el más mínimo control". Immelt observó que para la economía de Estados Unidos era malo el "preferir las utilidades más rápidas de los servicios financieros a expensas de la industria manufacturera, la investigación y las inversiones en tecnología".

En su artículo de *The New York Times*, el periodista y economista Edward Hadas profundizó en ese tema:

> *Una porción alarmantemente amplia de la actividad del mundo financiero es un poco más que juegos de azar. Cuando se compran y venden bonos y acciones, o los derivados de los mismos, las ganancias y las pérdidas casi se anulan mutuamente. Este intercambio puede ser divertido —la administración de portafolios es un pasatiempo común— pero no hace mucho por la economía no financiera.*

Como en las apuestas organizadas, las pérdidas en el intercambio financiero son un poco mayores que las utilidades porque la casa cobra su ganancia. En años recientes, la casa financiera (corredores de bolsa, intercambios, o administradores de fondos) ha aumentado sus utilidades al jugar desde adentro. Ese comercio con frecuencia dio muy buenas ganancias hasta que la crisis llegó.

Con las finanzas hay un problema psicológico e incluso moral. Un país se enriquece manufacturando productos, y no por hacer dinero con dinero. Pero al ver las grandes utilidades financieras, ya sea en Wall Street o simplemente al adquirir una casa, la gente tiende a querer más. Las utilidades financieras económicamente ilusorias hacen que las personas no les presten atención a tareas más valiosas.

Entonces, ¿logrará entender Estados Unidos, y el mundo, que ya ha tenido demasiado de esto no tan bueno? No necesariamente, pues la tendencia de cuatro décadas tiene el impulso de un tren de alta velocidad. Pero la fuerza del actual huracán de destrucción financiera puede ser suficiente para descarrilarlo.

Hay más que sólo dinero involucrado. Por lo menos durante una generación, una parte desproporcionadamente grande de la población mundial más talentosa ha elegido las finanzas como profesión. Si más de los mejores y más inteligentes eligieran profesiones en la industria, la educación o las artes, todos estaríamos mejor.

Y estas palabras de "Buttonwood", escritas en *The Economist*: "Si alguien sufre debido al cortoplacismo de los administradores de fondos, es el cliente. Los fondos con el mayor costo producen las utilidades más bajas, pues el dinero del cliente lo absorben los cobros y las diferencias entre compra y venta... Si los gobiernos de verdad quisieran atacar algo escandaloso, debería ser la forma como el sector financiero se enriquece a expensas de inversionistas minoristas".

Desde luego me encanta el hecho de que estos prominentes expertos estén haciendo eco a los muchos temas de *Triunfe con integridad*. Pero probablemente el comentario más gratificante de todos apareció en una crítica hecha acerca de un nuevo libro en *The New York Times*, la cual fue escrita por el talentoso periodista británico John Lanchester, cuyo artículo había sido publicado ya antes en *The New Yorker*. Dice así: " 'Entonces: quiero que te imagines una inmensa bonanza sin ningún tipo de regulación o control en la que todas las ganancias han ido a parar en manos de unas pocas entidades privadas sin embargo, cuando esa burbuja explotó, todo mundo terminó pagando los platos rotos. Estoy convencido que todos estamos de acuerdo en que así no es como el mundo debería funcionar...' pero no es el mundo lo que tenemos que cambiar... los cambios que tenemos que implementar son a nivel individual. '¿Realmente necesitamos de tantos bienes materiales?'. Lanchester se afirma, en un mundo cuyos recursos se están agotando con increíble rapidez, lo más importante desde el punto de vista ético, político y ecológico, se resume así: '¡Ya basta! Triunfemos con integridad' ".

Y bueno, también basta por ahora. Así que disfruta el prefacio del ex-Presidente Clinton para esta nueva edición, disfruta el prólogo del gurú de la administración, Tom Peters, y disfruta el libro en sí.

Disfruta. Aprende. Enseña. Y únete a la marcha.

JOHN C. BOGLE, Abril 2010

La gran seducción

Quienes crearon este país construyeron una estructura moral en torno al dinero. El legado puritano combatió el lujo y la autoindulgencia. Benjamín Franklin difundió un evangelio práctico que hacía énfasis en el trabajo duro, la moderación y la austeridad. Millones de padres de familia, predicadores, editores de periódicos y maestros expusieron ese mensaje. El resultado fue notorio.

Estados Unidos ha sido una nación rica desde su fundación. Pero por mucho tiempo el país no se dejó corromper por la riqueza. Por siglos continuó siendo industrioso, ambicioso y austero.

Durante los últimos 30 años mucho de eso se ha desvanecido. Las normas sociales y las instituciones que animaron a la austeridad y a gastar de acuerdo a lo que ganas, se han visto minadas. Las instituciones que animan a la deuda y a vivir para el momento se han fortalecido. Los guardianes de la moral del país siempre están buscando la decadencia de la realidad en Hollywood y en la televisión. Pero la más rampante es la decadencia financiera, el pisoteo de las normas decentes acerca de cómo usar y aprovechar el dinero[1].

DAVID BROOKS,
THE NEW YORK TIMES,
Junio 10, 2008

---

1. Reimpreso de *The New York Times*, Junio 10, 2008. © 2008 *The New York Times* (www.nytimes.com). Todos los derechos reservados. Usado con permiso y protegido bajo las leyes de Derecho de autor de los Estados Unidos. Es prohibida la impresión, copia, redistribución, o retransmisión del material sin permiso manifestado por escrito.

Introducción

En una fiesta ofrecida por un millonario en Shelter Island, Kurt Vonnegut le dijo a su amigo Joseph Heller que su anfitrión, el director de un fondo de protección, ganaba más dinero en un sólo día que todo lo que Heller había ganado por su muy popular novela *Catch-22*, a lo cual Heller respondió: "Sí, pero yo tengo algo que él nunca tendrá... yo tengo *suficiente*".

Suficiente. La sencilla elocuencia de esa palabra me dejó estupefacto, sorprendido por dos razones: la primera, porque en mi propia vida yo también he recibido más que suficiente; la segunda, porque Joseph Heller no habría podido ser más preciso. Ya que la inconformidad parece ser un elemento de nuestra sociedad, incluyendo a muchos de los más ricos y poderosos entre nosotros, actualmente parece no haber límite sobre lo que significa "suficiente".

Vivimos en tiempos maravillosos pero tristes. Maravillosos porque nunca antes los beneficios del capitalismo democrático habían tenido tanto alcance en todo el mundo, y tristes porque los excesos de ese capitalismo pocas veces habían quedado tan expuestos. Estos excesos se hacen mucho más evidentes en la crisis permanente (la cual no es una descripción exagerada[1]) de nuestras industrias bancarias y de inversiones e incluso de

---

1. Según el Fondo Monetario Internacional, esta es la "mayor crisis financiera de Estados Unidos desde la Gran Depresión". John Cassidy, "Guerreros del préstamo", *New Yorker*, julio 28, 2008, 23.

nuestros dos gigantescos prestamistas hipotecarios patrocinados por el gobierno (pero de conocimiento público), Fannine Mae y Freddie Mac, sin mencionar los salarios de más de un billón de dólares al año que devengan los gerentes de fondos de protección, ni la obscena (no puede haber otra palabra para esto) compensación que se les paga a los ejecutivos de las sociedades que cotizan en la Bolsa en nuestro país, incluyendo a los fracasados directores ejecutivos, incluso al ser despedidos.

Pero la desenfrenada codicia que amenaza con abrumar nuestro sistema financiero y mundo empresarial va más allá del dinero. No reconocer los límites trastorna nuestros valores profesionales. Convierte en vendedores a quienes deberían ser fiduciarios de las inversiones que les confían. Hace que la Contabilidad sea el cimiento de un sistema que debería estar edificado sobre confianza. Peor aún, esta confusión respecto a los límites nos lleva por mal camino en nuestra vida personal. Perseguimos los falsos conejos del éxito; con mucha frecuencia nos inclinamos ante el altar de lo transitorio y sin sentido pero no valoramos lo que no es posible calcular, lo eterno.

Creo que ese mensaje es lo que Joseph Heller condensó en esa poderosa y única palabra *suficiente*, y no sólo en lo relacionado con nuestra adoración a las riquezas y a la creciente corrupción de nuestra ética profesional, sino en definitiva, a la desestabilización de nuestro carácter y valores. Entonces, es ahí donde quiero comenzar, con lo que mejor sé: cómo mi vida ha dado forma a mi carácter y valores, y cómo mi carácter y valores han dado forma a mi vida. Como verás, de innumerables maneras, he recibido más que suficiente.

Mi crianza

Probablemente el mejor lugar para comenzar sea con mi herencia: muy escocesa, lo cual puede ser una buena forma para explicar mi aparentemente legendaria austeridad. A comienzos de los años 1700, los Armstrong, ancestros de mi abuela materna, llegaron provenientes de Escocia a una finca en Estados

Unidos, (un maravilloso recordatorio de que todos somos descendientes de inmigrantes). Siempre consideré a mi bisabuelo, Philander Banister Armstrong, como mi padre espiritual. Fue un líder industrial, pero dio lo mejor de sí para reformar primero la industria de seguros contra incendios, (en un discurso en San Luis en 1868, imploró: "Caballeros, reduzcan sus costos"), y luego la industria de seguros de vida. Su animada diatriba de 1917, de 258 páginas, fue titulada *Licencia para robar: cómo es que el sector de los seguros le roba billones de dólares a nuestra gente.* La sentencia final: "El paciente —el sector de los seguros— tiene cáncer. El virus está en la sangre. No sólo está enfermo de muerte sino que es peligroso para la comunidad. Llamen a la funeraria".

Los Hipkins, la familia de mi madre, fueron virginianos que también llegaron a Estados Unidos a comienzos del Siglo XVIII; algunos de sus descendientes sirvieron en el Ejército de los Estados Confederados. Mis abuelos Hipkins, John Clifton Hipkins ("El Capitán") y Effie Armstrong Hipkins ("La Chica") fueron pintorescos personajes que esperaban que sus tres hijos y seis nietos fueran buenos ciudadanos y dieran lo mejor de sí mismos.

William Brooks Bogle y su esposa Elizabeth también llegaron provenientes de Escocia, pero mucho después, a comienzos de la década de 1870. Aunque Ellis Island todavía no era el puerto de entrada sus nombres se encuentran allí en una placa. Su hijo (mi abuelo) William Yates Bogle fue un exitoso comerciante de Montclair, New Jersey, muy respetado en la comunidad y el fundador de una empresa que llegó a ser parte de la American Can Company (que posteriormente se convirtió en Primerica Corporation en 1987), lo suficientemente grande como para estar entre las 30 compañías con acciones dentro del Promedio Industrial de Dow Jones durante 75 años.

Su hijo, William Yates Bogle Jr., fue mi padre. Al comienzo de la Primera Guerra Mundial, antes que Estados Unidos declarara la guerra, sirvió como voluntario en la Fuerza Aérea

Real y voló un Sopwith Camel. A este brillante piloto, apuesto de por sí, le decían que se parecía al entonces Príncipe de Gales, quien llegó a ser Rey de Inglaterra en 1936 (antes de abdicar para casarse con: "la mujer que amo"). Mi padre sufrió heridas cuando su avión se estrelló, así que volvió a casa y se casó con mi madre, Josephine Hipkins Bogle, en 1920.

La vida era fácil para esta próspera joven pareja pero tristemente sus dos primeras hijas gemelas (Josephine y Lorraine) murieron al momento de nacer. Su primer hijo fue mi hermano William Yates Bogle III, quien nació en 1927, poco después llegó otro par de gemelos, el 8 de mayo de 1929, David Caldwell Bogle y yo, John Clifton Bogle.

Nada de manos ociosas

Nacimos algunos años después que mi abuelo Bogle le había dado una hermosa casa nueva a la creciente familia en Verona, New Jersey (colindante con Montclair). Pero la Gran Depresión llegó y nuestra casa y la herencia de mi padre pronto se esfumaron. Nos mudamos a la casa de los padres de mi madre, la primera de muchas mudanzas que harían mover a esta familia en dificultades de un lado para otro por la costa de Jersey.

Así que aunque mi familia había comenzado con lo suficiente, en realidad mucho más que suficiente, pronto nos vimos en difíciles necesidades financieras. (Mi padre, quien creció rodeado de todo lo bueno que había en el área, no tenía la determinación de su padre y se le dificultaba permanecer en un empleo.) Desde muy temprana edad los tres hijos tuvimos que ganarnos lo que teníamos. Recuerdo muy bien el constante refrán: "Las manos ociosas son las herramientas del diablo" (pronunciando con acento escocés, *deablo*).

Con frecuencia he pensado que mis dos hermanos y yo tuvimos el perfecto entorno de niñez: una familia con consciencia de comunidad y sin ningún sentimiento de inferioridad o irrespeto pero con la necesidad de asumir responsabilidad por nuestros propios gastos de dinero (e incluso para ayudar a soste-ner los bienes de la familia), con la iniciativa de buscar empleo y la disciplina de trabajar para otros. Aunque teníamos amigos maravillosos, quienes aún son nuestros amigos, y que tenían más que suficiente y jugaban mientras nosotros trabajábamos, desde temprano aprendimos del gozo que hay en aceptar una res-ponsabilidad, en usar nuestro ingenio y comprometernos con aquellos (ricos o no por igual) a quienes sirvamos con nuestros diferentes empleos, durante el invierno, el verano, en la prima-vera y el otoño.

La Academia Blair: "Ven, estudia, aprende"

Durante los grados séptimo y octavo mi hermano gemelo y yo estudiamos en una pequeña escuela en Spring Lake, New Jersey. Luego nos mudamos a las cercanías de la Escuela Secun-daria Manasquan. Pero mi madre, deseosa del bienestar de sus hijos y muy preocupada por que no estuviéramos obteniendo la mejor educación, buscó algo mucho mejor. Con persistencia y determinación los tres hijos Bogle llegamos a ser estudiantes internos de la Academia Blair en el Noreste de New Jersey, una oportunidad increíble para iniciar una buena educación. El interés de mi madre por la formación de sus hijos fue lo que superó nuestra carencia de dinero, fuera de que Blair nos proporcionó becas y empleos. Durante mi primer año trabajé como mesero y en mi último año ya había ascendido al exigen-te cargo de capitán de meseros.

El lema de Blair (traducido del latín) es: "Ven, estudia, aprende", y eso hice. Impulsado por exigentes maestros de la vieja escuela, quienes al parecer sentían que con mucho esfuer-zo yo podía sobresalir, aunque el trabajo en clase era mucho más exigente que cualquier otro que hubiera encontrado antes, poco a poco logré superar mi atraso escolar. En la graduación fui quien pronunció el discurso de mi clase y fui elegido como el "mejor estudiante" y como el estudiante con "más probabi-lidades de triunfar", reconocimientos que reflejaron la determinación que por lo visto todavía no logro dejar y el espíritu emprendedor que posteriormente forjaría mi carrera. Nunca olvidaré la inspiración que recibí cuando en mi penúltimo año de Secundaria leí esta frase en el ensayo de Thomas Macaulay sobre Samuel Johnson: "La fuerza de su mente superó cada uno de sus impedimentos".

Así que creo que mi herencia y las experiencias de mi juventud han forjado ampliamente mi actitud hacia lo que es más que suficiente en esta vida, entre ellas el haber sido bendecido con una familia fuerte: abuelos orgullosos, padres amorosos y hermanos maravillosos, que aunque peleábamos entre nosotros, nos uníamos cuando alguien iba en nuestra contra.

Esa combinación bien pudo no habernos llevado a ninguna parte, después de todo los chicos Bogle apenas sí fuimos peores que muchos otros jóvenes americanos. Pero llegué a la madurez y desde entonces he sido bendecido con mucha buena suerte en mi vida, muchas veces de dimensiones milagrosas. Definitivamente mi mayor avance fue cuando la Academia Blair aceptó la responsabilidad de mi educación. Sin ayudas como esa, quién sabe en dónde estaría hoy, o si incluso estuviera (como pronto lo verás). Cada giro de buena suerte lo he comparado como algo parecido a descubrir un diamante. A lo largo de mi vida terminé descubriendo "hectáreas de diamantes".

Acres de diamantes

En la Antigua Persia un adinerado granjero dejó su casa para buscar aún más fortuna y dedicó su vida a la infructuosa búsqueda de una mítica mina de diamantes. Finalmente, cuando la edad y los años de frustración cobraron su cuota, terminó lanzándose al mar y murió como un infeliz indigente lejos de casa. Entre tanto, en su casa el nuevo propietario, mientras recorría su vasto territorio, vio algo en un arroyo, algo brillante, que reflejaba la luz del sol. Era un diamante grande y estaba en la cima de la fabulosa mina Golconda"

Esta historia era una de las favoritas del Dr. Russell Conwell, quien fundó la Universidad Temple de Filadelfia en 1884.
La historia inspiró su clásica conferencia, "Hectáreas de diamantes", la cual presentó más de 6.000 veces por todo el mundo. La
moraleja de la historia: "Tus diamantes no están en montañas
lejanas ni en mares distantes, están en tu propio patio, si sólo
cavas para encontrarlos".

El primer estudiante de lo que posteriormente fue Temple quedó tan inspirado por el discurso que se le acercó al Dr.
Conwell con muchos deseos de obtener educación pero no
podía pagarla. De inmediato fue aceptado para tutelaje y llegó
a ocupar una posición de eminencia y servicio público. No me
parece difícil creer esa historia porque cuando por primera vez
leí la conferencia del Dr. Conwell, siendo joven, su mensaje
también me inspiró y aún hoy sigue inspirándome. Y todos los
valiosos descubrimientos de un diamante tras otro se dieron
precisamente en el patio de mi casa, en una ciudad en la que
nunca antes había puesto mis pies.

Llegada a Filadelfia

Fue justo antes del Día de Acción de Gracias del año 1945,
poco después del final de la Segunda Guerra Mundial, cuando
este joven residente de New Jersey llegó a Filadelfia. Mí ya
fallecido hermano gemelo, David, que en paz descanse, llegó
conmigo; éramos dos jóvenes de 16 años descendiendo de un
bus procedente de la Academia Blair a la Ciudad Fraternal por
primera vez a celebrar las fiestas con papá y mamá. Nuestros
padres (mi hermano mayor, William, que tenía 18 años en ese
entonces, estaba sirviendo en los Cuerpos de la Marina de Estados Unidos) hacía poco se habían mudado a dos habitaciones
en el tercer nivel de una modesta casa en la zona suburbana
de Ardmore, pero el pequeño espacio era suficiente para todos
nosotros, por lo menos para pasar las fiestas. Solíamos cenar en
el pequeño restaurante Horn & Hardart que se encontraba a la

vuelta de la esquina. Después, durante mis vacaciones, yo trabajaba en el turno nocturno en la Oficina Postal de Ardmore.

Si no fue en Filadelfia, entonces fue muy cerca de ahí que encontré mi primer diamante. Debido a la extraordinaria preparación para la universidad que la Academia Blair me había dado, fui aceptado en la Universidad de Princeton. Para pagar mis estudios la universidad me ofreció una beca completa y un trabajo de mesero en Commons. (De nuevo mesero, ¡seguramente era bueno!) Durante los siguientes años trabajé en la oficina de tiquetes de la Asociación Atlética dirigiendo uno de sus departamentos durante mis dos últimos años.

Con una serie de empleos de verano (uno como corredor en una firma de corredores de Bolsa local, otro como periodista de casos policiales para *The Philadelphia Evening Bulletin*) logré reunir el resto del dinero que necesitaba. Trabajaba muy duro y las jornadas eran largas. Pero me gustaba trabajar así, todavía me gusta ya que crecí con la invaluable ventaja de tener que trabajar para obtener lo que tengo. Pero en mi larga carrera no recuerdo jamás el haber visto el trabajo como trabajo, sólo con una excepción: durante una temporada como colocador de bolos en una bolera (¡ese sí fue un trabajo eterno y fútil!).

Un descubrimiento en Princeton

Mientras estudiaba en Princeton, el matrimonio de mis padres se deshizo. Mi padre se mudó a Nueva York y mi amada madre, enferma de muerte, se quedó en Filadelfia. Yo quería volver a estar con ella después de mi graduación en 1951 y el destino lo hizo posible. (Tristemente falleció en 1952).

Estando en Princeton este inexperto e idealista joven con el cabello bien corto había decidido que para su tesis de grado del Departamento de Economía escribiría sobre un tema que nunca antes se hubiera tratado en otra tesis. No sería sobre John Maynard Keynes, Adam Smith ni Karl Marx, sino un tema nuevo. ¿Qué otra cosa sino el destino podría influir en el hecho de que en diciembre de 1949, mientras buscaba mi tema, abrí la revista *Fortune* en la página 116 y leí un artículo (*Big Money in Boston*) acerca de un instrumento financiero que nunca antes había oído nombrar: el fondo colectivo de inversión. Al ver la descripción que el artículo dio sobre la industria, "pequeña pero contenciosa", supe que había encontrado mi tema, y aunque no lo supe en ese momento, también había encontrado otro diamante.

Terminé mi tesis después de un año de intenso estudio sobre la industria de los fondos colectivos de inversión y se la envié a varios líderes de ese mercado. Uno de ellos fue Walter L. Morgan, pionero de los fondos colectivos de inversión, fundador de Wellington Fund con base en Filadelfia y graduado de Princeton en la promoción de 1920. Él leyó mi tesis y le gustó tanto que pronto escribió lo siguiente: "Es una excelente obra de un compañero de universidad sin ninguna experiencia práctica en los negocios. En gran medida, como resultado de esta tesis, hemos recibido al Sr. Bogle para que haga parte de nuestra organización Wellington". Comencé a trabajar justo después de mi graduación en 1951, (obtuve los mejores honores, en gran medida debido a mi tesis) y nunca miré atrás. Desde entonces, de una u otra forma he trabajado ahí como pronto lo verás.

No tengo cómo comprobarlo, pero uno de sus socios más cercanos, después de su muerte me dijo que Walter Morgan me veía como el hijo que nunca tuvo. Y él fue como un padre para mí. Llegó a ser mi leal y confiable mentor, el hombre que le dio el primer avance a mi larga carrera. Es más, el Sr. Morgan fue mi roca, el hombre que confiaba en mí cuando yo confiaba muy poco en mí mismo, el que me dio la fuerza para seguir en medio de cada triunfo y tragedia.

Cuando me uní a Wellington Management Company en 1951 esta era una importante compañía en una pequeña industria y llegó a ser el único fondo colectivo de inversión (Wellington Fund) con nada menos que $150 millones de dólares en activos. Pero estábamos creciendo rápidamente. Para comienzos de la década de 1960 yo estaba profundamente involucrado en todos los aspectos del negocio y pronto me convertí en el obligado heredero de Walter Morgan. A principios del 1965, cuando yo sólo tenía 35 años, él me dijo que yo sería su sucesor y el líder de la firma. ¡Otro diamante! Aunque en la tierra bajo mis pies todavía hay muchos otros diamantes escondidos y sin descubrir, la compañía se encontraba en dificultades y el Sr. Morgan me dijo: "Haz lo que sea necesario para solucionar nuestros problemas de gestión de inversiones"n.

Se cierra una puerta y se abre una ventana

Siendo testarudo, impulsivo e ingenuo, encontré un socio para una fusión y de todas las posibles partes el que encontré era de Boston y esperaba que me ayudara a hacer exactamente eso. El acuerdo de fusión se firmó en junio 6 de 1966. Teniendo un mercado de acciones fuerte y creciente este matrimonio funcionó perfectamente bien hasta comienzos del año 1973. Pero cuando el mercado bajista llegó y el mercado de valores se tambaleó (una decadencia que al final redujo los precios de las acciones en un 50%), los agresivos jóvenes administradores de inversiones que eran mis nuevos socios, y yo, decepcionamos a nuestros accionistas. (¡El valor de los activos de uno de nuestros fondos se redujo en un 75%!).

Para finales de 1974, a medida que el mercado bajista cobraba su cuota y con la partida de muchos inversionistas, los activos bajo nuestra administración habían caído de $3 billones a $1.3 billones. Sin duda mis socios y yo discutimos. Pero mis adversarios tenían más votos en la junta de la compañía que yo y fueron ellos quienes me despidieron de la que yo consideraba mi compañía. Es más, ellos pretendía mover todo Wellington a Boston. Yo no iba a permitir que eso sucediera.

Yo amaba Filadelfia, mi ciudad adoptiva que había sido tan buena conmigo. Ahí tenía mis raíces y había encontrado más diamantes que los que podía imaginar. En 1956 me casé con mi amada esposa Eve, quien nació y creció en Filadelfia, así que para 1971 habíamos tenido la bendición de 6 maravillosos hijos (y posteriormente 12 nietos). Nuestra intención era permanecer donde estábamos y mi plan era hacer precisamente eso. Porque cuando la puerta de mi carrera se cerró en Wellington, se abrió una ventana lo suficientemente grande como para permitirme permanecer en Filadelfia.

Orquestar este truco no fue fácil y de no haber tenido las cualidades que alguien me atribuyó en alguna ocasión, "la testarudez de un idealista y el alma de un peleador callejero", en realidad no lo habría intentado. Después de una larga y amarga lucha pude valerme de una ligera diferencia entre la estructura de gobierno de Wellington Fund (propiedad de sus propios accionistas) y de Wellington Management Company (propiedad de accionistas públicos pero ahora controlada en gran parte por los antiguos socios que me habían despedido) para crear una nueva carrera, y con ésta encontré más diamantes de los que jamás hubiera imaginado.

Complicaciones

La mayoría de directores de la junta de los mismos fondos eran independientes de Wellington Management Company y yo propuse que adoptaran una estructura única sin precedentes, una en la que los fondos se gobernarían por sí mismos. La idea era simple. ¿Por qué nuestros fondos de inversión colectivos debían tener una compañía externa que administrara sus asuntos, lo cual era y es el *modus operandi* de nuestra industria, si éstos se podían administrar a sí mismos y ahorrar una pequeña fortuna en honorarios? Los fondos colectivos de inversión sí podrían ser *colectivos*. Fue una fuerte batalla durante un lapso de 8 frenéticos y contenciosos meses, pues la junta del fondo estaba dividida casi por igual. Pero esta nueva estructura finalmente triunfó. [2]

2. Este resultado favorable nunca habría sido posible sin el inquebrantable apoyo del ya fallecido Charles D. Root Jr., Presidente del grupo directivo independiente de Wellington Funds. Gracias, Chuck, pues sin ti, Vanguard seguramente no habría llegado a existir.

A nuestra nueva compañía le puse el nombre de *HMS Vanguard*, el buque insignia de Lord Horatio Nelson en la gran victoria británica sobre la flota de Napoleón en la Batalla del Nilo en 1798. Quería comunicar que nuestro aguerrido Vanguard Group triunfaría en la guerra de los fondos colectivos de inversión y que nuestro Vanguard sería como lo define el diccionario, "el líder de una nueva tendencia". Sin embargo mi idea sufrió un revés cuando los directores del fondo permitieron que Vanguard (ahora propiedad de los fondos) sólo manejara la parte administrativa de las actividades de la firma, responsable de la gestión de los fondos y los asuntos legales y financieros. Cuando comenzamos en mayo de 1975 se nos prohibió asumir responsabilidades de gestión de inversiones y de mercadeo, los otros dos lados del triángulo esencial de los servicios de fondos colectivos de inversión, los cuales eran mucho más importantes. Para mi disgusto, estos servicios clave sí los siguieron prestando mis rivales de Wellington Management Company.

Surge una firma completa

Para que Vanguard tuviera alguna oportunidad de pelear y ganar yo sabía que tendríamos que extender nuestro estrecho territorio y encargarnos de todo el rango administrativo, inversión y servicios de mercadeo que exigen todas las complejidades de un fondo. Así que tuvimos que buscar más diamantes. Rápidamente encontramos uno que rivalizó con el tamaño del legendario diamante Kohinoor. El hecho de que la gestión de inversiones estuviera por fuera del territorio de Vanguard en pocos meses me llevó a desarrollar una gran idea con la que había jugado por años, la cual surgió con la investigación que hice para mi tesis de grado en la que escribí que los fondos colectivos de inversión "no pueden pretender tener superioridad sobre los promedios del mercado". Antes de que terminara el año de 1975 habíamos formado el primer índice del mundo para fondos colectivos de inversión.

La idea fue la esencia de la sencillez: el portafolio tendría todas sus acciones únicamente dentro de Standard & Poor's (S & P) 500 Stock Index, basado en su peso de mercado y seguiría de cerca sus utilidades. Por años el índice de nuestro fondo fue ridiculizado y nadie lo copió hasta después de una década. El nuevo fondo, inicialmente llamado First Index Investment Trust (ahora llamado Vanguard 500 Index Fund) comenzó con tan sólo $11 millones de dólares en activos y fue denominado "La locura de Bogle". Pero demostró ser efectiva. Poco a poco el primer fondo indexado obtuvo utilidades compuestas sustancialmente mayores que las obtenidas por los tradicionales fondos de capital y llegó a ser el fondo colectivo de inversión más grande del mundo. En la actualidad, Vanguard 500 es uno de los 82 fondos colectivos de inversión en índice e índice virtual que constituye cerca de $1 trillón de dólares en la base de activos de Vanguard que es de $1.3 trillones[3].

Por tal motivo, parafraseando el Salmo 118, "la piedra que rechazaron los edificadores... llegó a ser la piedra angular" de nuestra nueva firma. Pero su nacimiento fue algo poderosamente frágil.

El argumento de que no estábamos sobrepasando nuestro estrecho territorio inicial apenas fue aprobado por el consejo de administración. El truco del fondo indexado que yo defendía, era que no requería "administración", pues simplemente compraría todas sus acciones dentro de S&P 500. Pero con este paso de cuasi gestión habíamos llegado al borde del segundo lado, el de la inversión, en el triángulo de los servicios esenciales de los fondos.

De nuevo, ¿cómo podíamos extender nuestro territorio para controlar el tercero y último lado de triángulo, el de las

---

3. En realidad operábamos 45 fondos de índice "real", estrechamente definidos. Aunque excelentes profesionales de inversiones los dirigen de forma razonable, opino que hay otros 37 fondos de índice "virtual", en su mayoría fondos de bonos y del mercado monetario, administrados a costo nominal bajo rigurosos vencimientos y estándares de calidad y siguiendo muy de cerca las medidas adecuadas de los mercados de ingreso fijo.

funciones de mercadeo? ¿Por qué no buscar otro diamante? Y eso hicimos. La idea fue eliminar la necesidad de distribución, abandonando la red de corredores de Bolsa que había distribuido las acciones de Wellington durante casi medio siglo, y en lugar de confiar en que los vendedores vendieran acciones, más bien confiaríamos en que los compradores las comprarían. Los riesgos de un cambio tan abismal eran enormes, pero también eran oportunidades.

En febrero 7 de 1977, después de otra batalla divisoria y otra decisión de la junta directiva que apenas logramos ganar, hicimos un cambio de la noche a la mañana sin precedentes a un sistema de mercadeo sin carga y libre de costos de venta. Una vez más, no volvimos atrás. Nunca tuvimos que hacerlo. Con los extraordinariamente bajos costos operativos que llegaron a ser nuestro distintivo, fruto de nuestra estructura colectiva y de nuestra disciplina de costos, el ofrecer nuestras acciones sin comisiones de ventas demostró ser un paso lógico y oportuno hacia un mundo que cada vez más se regiría por las elecciones de los consumidores y la búsqueda de valor.

El lema de nuestra estrategia de mercadeo fue: "Si lo construyes, ellos llegarán" (una frase ya familiar que inspiró la creación de un diamante de béisbol en Iowa, inmortalizada en la película *Field of Dreams*). Y aunque se necesitaron años para que lo que habíamos construido rindiera frutos, los inversionistas llegaron, primero por miles y luego por millones.

Una sorprendente aprobación de última instancia por parte de la Corte

Pero los diamantes que Vanguard había acumulado durante esas luchas todavía no estaban en nuestro poder. Sólo los teníamos como préstamo. Ya que la Comisión de Valores (SEC, por sus siglas en inglés) sólo nos había dado una orden temporal para que pudiéramos dar algunos de esos pasos cruciales. Aunque no lo creas, después de una tediosa audiencia que duró una semana, el personal de la Comisión de Valores falló *en contra* de nuestro plan sin precedentes. Atónitos, pues yo sabía que lo que estábamos haciendo era bueno para los inversionistas, organizamos una fuerte apelación y, después de una batalla que duró cuatro largos años, finalmente triunfamos en 1981, cuando la Comisión de Valores dio media vuelta y finalmente aprobó nuestro plan. La Comisión lo hizo con una pomposa retórica que concluía con estas palabras:

> *"El plan Vanguard... en realidad fomenta los objetivos de la ley (de Compañías de Inversiones de 1940), promueve una mayor divulgación para los accionistas... Evidentemente mejora la independencia del Fondo y estimula un entorno de fondo colectivo viable y saludable en el que cada fondo prospera mejor".*

En todos los aspectos el saludo de despedida de la Comisión terminaría siendo profético.

Así que los diamantes no se iban para Boston. Finalmente estaban permanentemente en nuestras manos, o para ser mucho más preciso, en las manos de nuestros accionistas, a donde pertenecían, en Greater Filadelfia, lugar de nacimiento de Wellington en 1928 y de Vanguard en 1974. Probablemente pienses que la reserva de diamantes en mi Golconda finalmente se había acabado. Pero milagrosamente, había otro diamante esperando a ser descubierto.

Un cambio de corazón

Paradójicamente, el siguiente diamante que estaba por descubrir, también justo en mi patio, tenía la forma de un nuevo corazón. (Como todos sabemos, en los juegos de naipes el corazón siempre le gana al diamante. ¡En la vida real eso también es cierto!) Desde mi primer infarto, de muchos, en 1960, estuve luchando con un problema en el corazón. En 1995 el tiempo prácticamente se me había acabado; únicamente la mitad de mi corazón seguía bombeando. Ese otoño ingresé a Hahnemann Hospital de Filadelfia y el 21 de febrero de 1996 por fin recibí mi nuevo corazón —pocos meses, o probablemente semanas, o incluso días— antes de que mi propio corazón expirara. Esperé en el hospital durante 128 días conectado permanentemente a un canal intravenoso que me alimentaba y le inyectaba drogas estimulantes a mi corazón.

Lo extraño, a pesar de las trágicas circunstancias, es que nunca pensé que iba a morir. Tampoco pensé que fuera a vivir. No parecía sensible a pensar en cualquiera de los resultados. Pero sobreviví y con el corazón que ahora late en mi cuerpo, el regalo de vida de un donante anónimo, y el cuidado de los médicos y enfermeras que han sido mis ángeles guardianes, he disfrutado de excelente salud durante ya más de 12 años, una razón más por la cual estoy convencido de haber recibido más bendiciones, más "hectáreas de diamantes en mi propio patio", que cualquier otro ser humano sobre la faz de esta tierra. Dr. Conwell, ¡usted tenía razón!

Tesoros falsos y verdaderos

Me gozo especialmente al contarte de los diamantes de mi vida y de mi carrera porque tengo la seguridad de que cada uno de quienes están leyendo también ha sido bendecido con diamantes, probablemente muchos, si tan sólo te detienes y tomas un momento para contarlos. Pero con mucha frecuencia, como el adinerado granjero de la parábola del Dr. Conwell, buscamos tesoros ilusorios e ignoramos los verdaderos que sí tenemos bajo nuestros pies. (Observa el *nosotros*, ¡soy tan culpable como cualquiera otro!).

Así que sin duda he recibido suficiente, suficientes diamantes (y corazones) para tener una vida maravillosa que espero que haya sido útil para una familia, una empresa, una industria, e incluso una sociedad. Pero durante estos primeros años del Siglo XXI he desarrollado una profunda preocupación sobre la dirección equivocada que lleva nuestra sociedad, una inquietud tan bellamente expresada en el epígrafe de David Brooks al comienzo de este libro. Supongo que Kurt Vonnegut y Joe Heller estarían de acuerdo con esa perspectiva. Estando en Shelter Island hablaron acerca de lo que es "suficiente" en el contexto del dinero y las inversiones, su trabajo era un espejo para toda nuestra sociedad, el cual reflejaba algunos de los absurdos e injusticias que hemos llegado a aceptar y dar por hecho.

En nuestro sistema financiero concentramos nuestras expectativas sobre las utilidades que los mercados financieros pueden proporcionar, ignorando los exorbitantes costos que genera nuestro sistema financiero, los excesivos impuestos generados por máximos niveles de comercio especulativo y la inflación a cargo de un gobierno que gasta (nuestro) dinero más allá de sus posibilidades, devastando ampliamente estas utilidades. Nos comprometemos en la locura de la especulación a corto plazo y evitamos la sabiduría de la inversión a largo plazo.

Ignoramos los verdaderos diamantes de la sencillez, y preferimos buscar las ilusorias imitaciones del diamante de la complejidad.

En los negocios hacemos mucho énfasis en lo que se puede contar y casi nada en confiar y ser digno de confianza cuando deberíamos estar haciendo precisamente lo opuesto. Permitimos, o prácticamente forzamos, que nuestras profesiones se comporten más como negocios. En lugar de eso, deberíamos ser empresas y corporaciones que lideren (las empresas que crean productos y servicios) para volver a ganar los valores profesionales que muchas de ellas han hecho a un lado. Tenemos más que suficiente del oro de tontos que ofrece el mercadeo y los vendedores, pero no suficiente del verdadero oro de confianza y mayordomía. Y pensamos más como gerentes, cuya labor es hacer bien las cosas en lugar de pensar como líderes, cuya labor es hacer lo correcto.

En la vida solemos permitir que lo ilusorio triunfe sobre lo real. Nos concentramos demasiado en *objetos* y no lo suficiente en lo *intangible* que le da valor a los objetos; mucho en el *éxito* (una palabra que nunca me agradó) y no lo suficiente en el *carácter* sin el cual el éxito no tiene sentido. En medio de las presiones del Siglo XXI, para obtener satisfacción inmediata y amasar información por demanda hemos olvidado los ilustres valores del Siglo XVIII. Permitimos que las falsas nociones de satisfacción personal nos cieguen al verdadero sentido de llamado, el cual le da al trabajo significado para nosotros mismos, nuestras comunidades y nuestra sociedad.

El reto de Sócrates

Cuando presento estos puntos en foros por todo el país a veces me siento como alguien sosteniendo un cartel al estilo profeta de las caricaturas del *New Yorker* ("¡Arrepiéntanse porque el fin se acerca!"). Aunque mi mensaje difícilmente está en el centro y generalmente quienes están a cargo de nuestras instituciones corporativas y financieras no lo reciben bien, en realidad no es un mensaje nuevo. Considera que hace 2.500 años Sócrates dio casi el mismo mensaje en su reto para los ciudadanos de Atenas:

> *Los honro y los amo. Pero ¿por qué ustedes que son ciudadanos de esta gran y poderosa nación se interesan tanto en acumular la mayor cantidad de dinero, honor y reputación y tan poco en sabiduría, verdad y otras mayores mejoras del alma? ¿No les da vergüenza? Yo no hago más que ir por todas partes persuadiéndolos a todos, no para que piensen en ustedes mismos y en sus propiedades, sino primero y más importante que todo, para que se interesen en las mayores mejoras del alma. Les digo que esa virtud no la da el dinero sino que de la virtud viene el dinero y cualquier otro bien del hombre.*

Difícilmente tengo la reputación para competir con Sócrates. Pero en el transcurso de estos notorios 79 años de vida que he disfrutado a plenitud, al igual que Sócrates, he llegado a tener opiniones firmes en cuanto al dinero, acerca de qué nos debería enorgullecer y qué debería avergonzarnos de nuestro negocio y vocación profesional, respecto a los tesoros falsos y verdaderos en nuestra vida. En este libro presento esas opiniones, esperando que, tomando prestada una de las frases favoritas de Kurt Vonnegur, "pueda envenenar sus mentes, queridos lectores, con algo de humanidad".

EL DINERO

—CAPÍTULO 1—

Demasiado costo, poco valor

Permíteme comenzar con esta maravillosa y vieja sátira de la Gran Bretaña del Siglo XIX:

Algunos hombres obtienen vida de la naturaleza o se la ganan con sus propias manos; a eso lo llaman trabajo.

Otros se ganan la vida de quienes obtienen vida de la naturaleza y con sus propias manos; a eso lo llaman comercio.

Y hay quienes se ganan la vida de quienes se ganan la vida de quienes se ganan la vida de la naturaleza y con sus propias manos; a esto lo llaman finanzas.

Aún hoy en día, estas fuertes palabras siguen describiendo la realidad de las relaciones entre el sistema financiero al que le he dedicado toda mi carrera y la economía en general.

Las normas bajo las cuales funciona nuestro sistema —y a las que llamo, según Justice Luice Bandeis, "las despiadadas normas de la aritmética simple"— son herméticas:

◇ La utilidad bruta generada por los mercados financieros, menos los costos del sistema financiero, dan como resultado la utilidad neta que se les entrega a los inversionistas.

◇ En consecuencia, mientras nuestro sistema financiero les entregue a nuestros inversionistas en conjunto, cualquier utilidad que nuestros mercados de valores y bonos tengan la buena voluntad de generar, pero únicamente *después* de deducir los costos de la intermediación financiera (por ejemplo, para siempre), la capacidad de nuestros ciudadanos para acumular ahorros para su jubilación seguirá viéndose seriamente socavada por los enormes costos del sistema en sí.

◇ Entre más absorbe el sistema financiero, menos gana el inversionista.

◇ El inversionista alimenta en la base lo que en la actualidad es una tremendamente costosa cadena alimenticia de inversión.

Así que, esta es la verdad básica que resume cada uno de estos puntos indiscutibles: Mirándolo bien, el sistema financiero le resta valor a nuestra sociedad.

Esas son las realidades modernas de nuestro sistema financiero, pero han estado desarrollándose por mucho tiempo, así como el sector financiero en sí se ha ido desarrollando por muchas décadas hasta llegar a ser singularmente el elemento más grande de la economía de Estados Unidos.

Nos hemos mudado a un mundo en el cual, aparentemente, muchos de nosotros ya no hacemos nada, simplemente comercializamos entre nosotros trozos de papel, intercambiamos acciones y bonos de allá para acá y les pagamos una verdadera fortuna a nuestros talladores financieros. En el proceso inevitablemente hemos añadido aún más costos al crear derivados financieros cada vez más complejos, en los que se han generado inmensos e inimaginables riesgos para el sistema financiero.

El sabio socio de Warren Buffett, Charlie Munger, lo explica en una sola frase:

La mayoría de las actividades para hacer dinero con más dinero contienen efectos profundamente antisociales... A medida que las modalidades de alto costo se hacen cada vez más populares... La actividad agrava la actual tendencia dañina que atrae cada vez más la capacidad mental ética juvenil de la nación hacia la lucrativa administración de dinero junto con sus roces modernos, opuesto al trabajo que le da mucho más valor a los demás.

Comparto la preocupación del Sr. Munger respecto a la inundación de talento joven en un campo que inevitablemente le resta mucho valor a la sociedad. Cuando me dirijo a estudiantes universitarios, suelo decir exactamente lo mismo. Pero nunca les aconsejo directamente que no ingresen al campo de la administración de dinero. Nadie será disuadido sólo con palabras para que no entre a un campo tan altamente lucrativo. Más bien, les pido a los jóvenes graduados que consideren tres advertencias antes de hacerlo. Y te voy a pedir, cualquiera que sea tu vocación, que consideres estas mismas advertencias y cómo estas se pueden aplicar a tu propio entendimiento de cómo, en nuestras vidas pasajeras, vamos más allá de los límites en la búsqueda de satisfacción y felicidad y nos esforzamos por hacer mucho más que el bien suficiente para nuestros compañeros y los seres humanos.

Una predicción profética

Lo siguiente es lo que dije en mayo de 2007, durante el máximo pico del auge del sector financiero, en un discurso de graduación en la Universidad de Georgetown:

◇ Primero, si ingresan al mundo financiero, háganlo con los ojos bien abiertos, reconociendo que cualquier empresa que le reste valor a sus clientes, en tiempos más difíciles que estos, puede verse minada con su propia dinamita. En Wall Street suele decirse, con verdad, que "el dinero no tiene consciencia", pero no permitan que esa posición los haga ignorar su propia consciencia, ni alterar su propia conducta y carácter.

◇ Segundo, cuando comiencen a invertir a fin de poder tener suficiente para su jubilación dentro de muchas décadas, háganlo de tal forma que reduzcan lo que la comunidad financiera le quita a las utilidades que genera el negocio. Sí, esta es una pequeña recomendación egoísta para que inviertan en fondos indexados de mercado de valores de bajo costo en Estados Unidos y a nivel mundial (el modelo Vanguard), pero esa es la única forma de garantizar una participación justa dentro de cualquier utilidad que nuestros mercados financieros tengan la generosidad de proporcionar.

◇ Tercero, no importa qué profesión elijan, den lo mejor de sí para mantener en alto sus valores profesionales tradicionales, los cuales se están erosionando rápidamente y cuya prioridad más importante es servir al cliente. Y no ignoren el mayor bien para su comunidad, su nación y su mundo. Como lo dijo William Penn: "Pasamos por este mundo solamente una vez, así que haz ahora todo el bien que puedas y muestra ahora toda la amabilidad que te sea posible mostrar porque este camino no lo volveremos a recorrer".

Como resultado, la advertencia que expuse en ese discurso, la necesidad de reconocer que "cualquier empresa que le reste valor a sus clientes, en tiempos más difíciles que estos, puede verse minada con su propia dinamita", demostró no sólo ser inquietantemente profética, sino sorprendentemente oportuna. La industria ha sido volada con su propia dinamita.

Efectivamente, en julio de 2007, justo dos meses después de mi discurso, el sector financiero, liderado, por así decirlo, por Citigroup y los bancos de inversiones Merrill Lynch y Bear Stearns, comenzó a desmoronarse pues los riesgosos, temerarios, complejos y costosos instrumentos de deudas que habían creado sus firmas, empezaron a devolverse. Luego llegaron las enormes amortizaciones en los balances generales. Para mediados de 2008, esas amortizaciones en general totalizaron la asombrosa cifra de $975 billones de dólares, y vendrían más.

Arrebatando toda una vida de las finanzas

En mi discurso de Georgetown mencioné que durante el año 2006 solamente el sector financiero había acumulado $215 billones de dólares de los $711 billones en ganancias de las 500 compañías que componen el índice de valores S&P 500, 30% del total (y probablemente 35%, o más, si incluíamos las utilidades de los afiliados financieros de las grandes compañías industriales, como General Electric). El dominio de las empresas financieras en nuestra economía y en nuestro mercado de valores ha sido extraordinario. *Solamente* las utilidades de estas firmas financieras totalizaron más que las utilidades de nuestras altamente rentables empresas de energía y tecnología *juntas*, y cerca del *triple* de las ganancias de nuestro próspero sector del cuidado de la salud y de nuestras gigantescas firmas industriales.

Para finales del año 2007 las ganancias del sector financiero se habían desplomado casi a la mitad, a $123 billones al año. El sector financiero no sólo había tenido una reducción del 30% al 17% en sus utilidades de $600 billones en total correspondientes a las compañías de S&P 500, sino que también representó en total el 90% de la disminución en utilidades de S&P 500 durante el año. El cambio siguió durante el 2008. Podemos llamarlo justicia poética.

¿Pero lo es? Los clientes de las firmas bancarias han perdido cientos de billones de dólares en las arriesgadas obligaciones de deudas creadas por los bancos y abundan los despidos de empleados del sector financiero; más de 200.000 trabajadores ya han perdido sus empleos pero la mayoría de los ejecutivos de bancas de inversión siguen recibiendo salarios astronómicos.

Recuerdo una historia, probablemente apócrifa, que leí hace poco acerca de un banquero de inversiones dirigiéndose a sus colegas después del colapso en el mercado de bonos respaldados por hipotecas. "Les tengo buenas y malas noticias. La mala noticia es que hemos perdido toneladas de dinero. La buena es que nada de ese dinero era nuestro". Este relato es un buen recordatorio de que, en gran medida, lo que es bueno para la industria financiera es malo para ti.[1]

Fortunas después del fracaso

Considera la compensación de tres reconocidos directores ejecutivos del sector financiero quienes durante la reciente turbulencia les fallaron a sus clientes y a sus accionistas por igual.

◇ Charles Prince, Director Ejecutivo de Citigroup, asumió su cargo en octubre de 2003. En ese entonces las acciones de Citigroup se vendían a $47 dólares cada una. Aunque al banco le fue bien por unos años más, creó un portafolio de inversiones muy riesgoso que se desmoronó después de 5 años, con amortizaciones (hasta ahora) de aproximadamente $21 billones de dólares. Las utilidades por acción de Citigroup cayeron de $4,25 en 2006 a $0,72 en 2007, y la acción al momento de escribir esto, está alrededor de los $20 dólares por unidad. El Sr. Prince recibía un pago de $138 millones de dólares por su trabajo cuando los tiempos eran buenos, pero no fue penalizado por el desastre que siguió. (Prince renunció el 4 de noviembre de 2007).

◇ La experiencia de Stanley O'Neal, Director Ejecutivo de Merrill Lynch, fue similar. Los riesgos asumidos por la firma en su aventurado portafolio de inversiones explotaron

---

1. Por lo menos es posible que no todas las firmas financieras pongan sus propios intereses por encima de los de sus clientes. Cuando John Thain, anteriormente importante ejecutivo de Goldman Sachs, llegó a ser el Director Ejecutivo de Merrill Lynch a finales de 2007, le preguntaron en qué se diferenciaban las firmas. Su respuesta: "Merrill sí pone primero a los clientes". Tú eres quien ha de decidir sobre la validez de esa afirmación.

en 2007, con $19 billones de dólares en amortizaciones (y seguramente más por venir). Ese año Merrill registró pérdidas netas de $10,73 dólares por acción, y el valor de su acción cayó de $95 dólares por acción a menos de $20 dólares en la actualidad. Pero el salario del Sr. O'Neal de $161 millones de dólares entre 2002 y 2007 no se vio afectado, y la junta directiva le pagó la totalidad del paquete del plan de jubilación al renunciar en octubre de 2007 (*otros* $160 millones, para un total de $321 millones).

◈ Probablemente el caso más notorio es el de James E. Cayne, Director Ejecutivo de Bear Stearns, quien durante 1993 y 2006 recibió aproximadamente $232 millones pues el valor de la acción de esta potencia de banca de inversiones creció de $12 dólares por acción a $165. Pero el arriesgado y en gran parte ilíquido portafolio de inversiones de la firma, junto con su fuerte apalancamiento (activos de casi 35 veces el capital), llevó a Bear al borde de la bancarrota. La Reserva Federal tuvo que garantizar el valor de gran parte del portafolio antes de que JPMorgan Chase accediera a comprar la compañía por un valor de $2 dólares cada acción (la cual recientemente subió a $10 dólares), dándole el mayor valor posible, una pérdida de $25 billones de capital para los accionistas. Pero los millones de dólares de compensación para el Sr. Cayne ya habían sido pagados. (Aunque sus inversiones en Bear, que en algún momento alcanzaron a valer $1 billón de dólares, habían caído a $60 millones cuando las vendió en marzo de 2008, probablemente la mayoría de nosotros creeríamos que $60 millones de dólares es una asombrosa cantidad de dinero, aun dada la catastrófica pérdida de capital de otros accionistas y la devastadora pérdida de empleos de miles de empleados de Bear, quienes no habían tenido participación en la caída de la firma).

Parafraseando a Wiston Churchill: "Nunca se ha pagado tanto a tantos por tan poco" en el camino hacia el éxito.

Con cara gano yo, con cruz pierdes tú

A pesar de lo ricos que han llegado a ser nuestros reyes financieros durante las últimas décadas, y a pesar del costo injustificado que les han extraído a los inversionistas, sus riquezas palidecen ante la riqueza acumulada por nuestros más exitosos gerentes de fondos de cobertura. Solamente en 2007, los 50 gerentes de fondos de cobertura mejor pagados en total ganaron $29 billones de dólares (sí, *billones*). Si solamente en ese año no ganaste $360 millones, ni siquiera alcanzaste a hacer parte del 25% superior. Sí, para los jugadores de alto riesgo, la especulación, ya sea en Wall Street, en la pista de carreras, o en Las Vegas, puede generar grandes recompensas especulativas.

Según *The New York Times*, el administrador de fondos de cobertura mejor pagado para el año 2007 fue John Paulson, quien terminó con $3,7 billones de dólares. Se dice que su firma, Paulson & Company, ganó más de $20 billones de dólares para sus clientes al apostar en contra de ciertos valores respaldados por hipotecas (esto se describe con más detalle más adelante). ¿Quién no le envidiará al Sr. Paulson gran parte de las utilidades que su firma ha ganado para sus clientes por tener un éxito tan notorio con la especulación?[2]

¡Yo no! Mi problema con la increíble compensación obtenida por los gerentes de fondos de cobertura es su asimetría, su falta de equidad fundamental. Los gerentes del lado ganador

---

2. Sí, les envidio a los gerentes de fondos de cobertura el 15% máximo de tasa de impuestos que el gobierno federal le aplica a la llamada participación en cuenta, frase hiriente que se refiere a la participación de utilidades pagadas a los gerentes de los fondos de cobertura. Una tasa tan baja es un insulto a los ciudadanos trabajadores cuyos ingresos, que son mucho más bajos, suelen estar sujetos a las tasas normales de impuestos federales del doble o más. También comprendo que la planeación inteligente de impuestos permite que este ingreso se difiera, libre de impuestos, obteniendo utilidades hasta que sea cancelado posteriormente. No es sorprendente que los intentos de reforma de impuestos por parte del Congreso se hayan visto abrumados por los bien financiados lobistas contratados por los administradores de fondos de cobertura.

de la especulación, ganan en grande, pero los perdedores no pierden en grande. Por ejemplo, si en efecto, la firma Paulson *ganara* su partida apostando a que los valores respaldados por hipotecas, o las obligaciones de deudas con garantía caerían (o estando del lado correcto del rango de especulaciones conocido como permutas de incumplimiento de crédito), alguna otra firma *perdería* su partida apostando a que esas obligaciones de deuda (o esas permutas) se incrementarían. El otro lado habría perdido $20 billones. Pero estos gerentes, como todos sabemos, no les devolvieron los $20 billones a sus clientes. Así que el alto costo de nuestro sistema financiero creció beneficiando a los de adentro a pesar de que sus clientes se empobrecieron (en términos relativos).

Un ejemplo hipotético aclara este punto. Supón que invertiste en un fondo de cobertura en el que hay dos gerentes con participaciones iguales, cada uno está del lado de la negociación descrita anteriormente. Uno ganó 30% y el otro perdió 30%, así que tu cuenta quedaba igual... hasta ahora. Pero al ganador le pagaste, digamos, 20% de su 30% de utilidades es decir el 6%, más 2% por costos de administración, para un total de 8%. También le pagaste al perdedor su cargo básico del 2%, lo cual hace que el cargo de toda tu cuenta en promedio sea del 5%. Luego le pagaste al administrador de fondos otro 2%. Así que aunque tu portafolio había tenido una utilidad de cero (antes de costos), perdiste 7% de tu capital. De nuevo, la industria gana, el inversionista pierde.

Fuga de cerebros

Inevitablemente, las grandes utilidades obtenidas por los administradores de fondos de cobertura en los últimos años y los asombrosos salarios y bonos pagados a los banqueros de inversiones, han inflado la imaginación de muchos estudiantes graduados de nuestras escuelas de negocios e hicieron de Wall Street el destino preferido para sus profesiones. A pesar de que personas, como Charlie Munger y otros, encendieron la alarma, la inundación de mentes jóvenes dentro del sector financiero siguió tomando impulso aún a pesar de que los sectores financieros lo iban perdiendo. La cantidad de analistas financieros (CFAs, por su sigla en inglés) ha alcanzado un elevado registro de 82.000 y *Barron's* recientemente informó tener "no menos de 140.000 aspirantes nuevos, también un elevado registro, desde todos los rincones de la Tierra hacen fila para tomar los exámenes que les conferirán a los afortunados el codiciado título de Analista Financiero (CFA)".

Tales noticias deberían animarme. Después de todo, esta es una vocación a la que he dedicado toda mi vida. Pero me temo que la motivación de muchas de estas personas que corren hacia la industria financiera, tiene más que ver con lo que pueden obtener de la sociedad, que de lo que ellas pueden darle a la misma; y es una certeza matemática que el costo de los servicios prestados por sus firmas, como grupo, superará el valor que crean. Este es el problema en el que me quiero concentrar: *la desconexión entre el costo y el valor en nuestro sistema financiero.*

El agotamiento de costos e impuestos

Comencemos con los costos, donde es fácil ver a través de la bruma. Durante los últimos 50 años la utilidad *bruta* (nominal) de los mercados de valores ha tenido un promedio del 11% por año, así que $1.000 dólares invertidos al principio en mercados de valores hoy tendrían un valor de $184.600. No está mal, ¿correcto? Pero eso les vale dinero a los propietarios de las acciones, (comisiones de corretaje, cargos de ventas, cargos de asesoría, los costos de toda la publicidad, cargos de abogados y más). Un buen estimativo de estos costos es por lo menos 2% por año. Cuando restamos esos gastos de inversión asumidos, incluso a una tasa de sólo el 2%, la tasa histórica de utilidad *neta* caería hasta el 9%, y el valor final caería a más de la mitad, hasta sólo $74.400 dólares.

Si asumimos que solamente el 1,5% lo pagan los inversionistas sujetos a impuestos para cubrir los impuestos de renta y de ganancia de capital sobre esa utilidad, la tasa después de impuestos caería a 7,5% y la acumulación de riqueza final se desplomaría *otro* 50% hasta $37,000. Evidentemente, la maravillosa magia de composición de *utilidades* se ha visto abrumada por la poderosa tiranía de composición de costos. *Cerca del 80% de lo que podíamos haber esperado ganar se ha desvanecido en el aire.* (Advertencia: En términos de dólares *reales*, reducidos por el 4,1% de la tasa de inflación durante los últimos 50 años, el valor ajustado de inflación de la inversión inicial de $1.000 dólares, después de costos e impuestos sería, en lugar de $184,600 en dólares nominales, antes de costos e impuestos, la minúscula cifra de ¡$5.300 dólares!

El truco de hechicería equivocado

Los costos de nuestro sistema financiero en la actualidad son tan altos en gran medida debido a que hemos abandonado los estándares de inversión tradicionales (y exitosos), bien descritos por las palabras del legendario Benjamin Graham, publicadas en los ejemplares de mayo a junio de 1963 en *Financial Analysts Journal:*

> *Es mi tesis básica, —para el futuro y el pasado—, que un analista financiero inteligente y bien entrenado puede hacer un excelente trabajo como asesor de inversiones para muchas diferentes clases de personas, y aun así justificar su existencia ampliamente. También digo que puede hacerlo siguiendo principios relativamente sencillos de inversión sólida, por ejemplo, un adecuado equilibrio entre bonos y acciones, una apropiada diversificación, selección de una lista de representantes, oposición a las operaciones especulativas no aptas para la posición financiera del cliente o su temperamento, y para esto no necesita ser un mago eligiendo ganadores de la lista del mercado de valores o prediciendo movimientos del mercado.*

Cualquiera que entienda las ideas a las que he apelado durante mi larga carrera no se sorprendería al ver que me aferro apasionadamente a estos sencillos principios de equilibrio, diversificación y concentración en un futuro lejano, sin mencionar mi escepticismo respecto a que los seleccionadores de acciones y magos del mercado pueden, equilibradamente y con el tiempo, añadir valor.

De hecho, cuando ingresé a la industria de fondos colectivos hace largos 57 años, sus administradores de dinero invertían mucho más al estilo descrito por Graham. En ese entonces, los portafolios de los principales fondos de capital consistían más en listas diversificadas de acciones selectivas, y los administradores de portafolio invertían a largo plazo. Evitaban la especulación, operaban sus fondos a costos que eran (según los estándares de hoy) pequeños y les entregaban a sus clientes utilidades similares a las del mercado. Sin embargo, como lo muestran claramente sus registros de largo plazo, esos gerentes de fondos difícilmente eran "magos eligiendo ganadores".

Los costos muestran su fea cabeza

Hoy, si los administradores de fondos pueden afirmar ser magos en algo, es en sustraerles dinero a los inversionistas. En el 2007 los costos directos del sistema de fondos colectivos (en su mayoría, costos de administración y operación y de mercadeo) totalizaron más de $100 billones de dólares. Además, los fondos también les pagan billones de dólares en costos de transacciones a firmas de corretaje y banqueros de inversión, e indirectamente a sus abogados y todos los otros facilitadores. Los inversionistas de fondos también pagan aproximadamente otros $10 billones de dólares por año en cargos a los asesores financieros.

Pero en su defensa, los fondos colectivos representan sólo una parte, en realidad una parte relativamente *pequeña* del total de costos en los que incurren los inversionistas del sistema de intermediación financiera de nuestra nación. A esos $100 billo-

nes de dólares en costos de fondos colectivos súmale solamente
$380 billones en costos adicionales de banca de inversión y co-
rretaje, además de todos los cargos pagados a los administradores
de fondos de cobertura y de pensiones, a departamentos de
fideicomisos bancarios y asesores financieros y cargos legales y
de contabilidad, y la factura se acercará a los $620 billones de
dólares al año. (Nadie conoce el número exacto. Todo lo que
se puede decir con certeza es que, de una u otra forma, estos
billones los pagan los mismos inversionistas).

Y no olvides que estos costos se presentan año tras año. Si
el presente nivel se mantiene, pues supongo que crecerá, los
costos generales de intermediación llegarán a los asombrosos $6
trillones de dólares en la próxima década. Ahora piensa en estos
costos acumulados relativos a los $15 trillones de dólares que
vale el mercado de valores de Estados Unidos y los $30 trillones
que vale nuestro mercado de bonos.

Los inversionistas obtienen precisamente aquello por lo que *no* pagan

El hecho de que las utilidades de los inversionistas estén por
debajo de las utilidades del mercado debido a los costos del sistema es incuestionable, pero también suele discutirse que nuestro sistema financiero le añade valor a nuestra sociedad debido
a los otros beneficios que les proporciona a los inversionistas.
Pero tal afirmación desmiente la realidad de nuestro sistema en
que no opera bajo las clásicas condiciones del mercado libre. El
sistema está lleno de información asimétrica (lo cual favorece a
los vendedores por encima de los compradores), competencia
imperfecta, y elecciones irracionales impulsadas por las emociones más que por la razón.

Esto no significa que nuestro sistema financiero sólo genera
costos. Realmente sí crea bastante valor para nuestra sociedad.
Facilita el reparto de capital entre una variedad de usuarios,
permite el encuentro efectivo entre los compradores y los ven-

dedores; proporciona notoria liquidez, aumenta la capacidad de los inversionistas para capitalizar sobre el valor descontado de futuros flujos de caja y hace que otros inversionistas adquieran el derecho sobre dichos flujos; crea instrumentos financieros (que suelen incluir los llamados derivados, que por lo general son complejos de manera alucinante, cuyos valores se derivan de aún otros instrumentos financieros) que permiten que los inversionistas asuman riesgos adicionales, o que se despojen a sí mismos de una variedad de riesgos al transferírselos a otros.

No, no es que el sistema falle en la creación de beneficios. La pregunta es si, en general, los costos por obtener esos beneficios han alcanzado un nivel que ahoga a los mismos beneficios. La respuesta, desgraciadamente, parece bastante obvia, por lo menos para mí: la industria financiera no es solamente el sector más grande de nuestra economía, es también el único campo en el que los clientes no logran acercarse en lo más mínimo a obtener aquello por lo que pagaron. Sin duda, dadas las implacables normas de la humilde aritmética, los inversionistas en general obtienen precisamente aquello por lo que no pagaron. (Paradójicamente, entonces, si no pagaran nada, ¡lo recibirían todo!)

Una pregunta muy importante

Durante los últimos dos siglos nuestra nación ha pasado de ser una economía agrícola a una economía manufacturera, a una economía de servicios y ahora a una economía predominantemente financiera. Pero nuestra economía financiera, en esencia, resta el valor creado por nuestras empresas productivas. Piénsalo: aunque los propietarios de empresas disfrutan las utilidades y el crecimiento de las ganancias que genera nuestro sistema capitalista, quienes juegan en el mercado financiero perciben esas utilidades de inversiones únicamente *después* de la deducción de los costos de intermediación financiera. Por lo tanto, aunque invertir en empresas estadounidenses es un juego de *ganadores*, vencer al mercado de acciones antes de esos costos es un juego que *suma cero*. Pero después de que los costos de intermediación son deducidos, vencer al mercado, para todos nosotros como grupo, se convierte en un *juego de perdedores*.

Pero a pesar del vasto y, hasta hace muy poco, creciente dominio del sector financiero en la totalidad de nuestra vida económica, no conozco ni siquiera un estudio académico que sistemáticamente haya intentado calcular el valor que nuestro sistema financiero le extrae a las utilidades que ganan los inversionistas. En las publicaciones profesionales nunca ha aparecido ni un sólo artículo (excepto el mío) sobre el tema, ni en *Journal of Finance, Journal of Financial Economics, Journal of Portfolio Management*, o en *Financial Analysts Journal*. El primer artículo del que tengo consciencia, de Kenneth R. French, "El Costo de la Inversión Activa" (en el mercado de valores de Estados Unidos), a mediados del año 2008, está pendiente de ser publicado en *Journal of Finance*.

Ese velo de ignorancia debe ser levantado. Necesitamos encontrar formas para mejorar radicalmente el sistema de formación de capital de nuestra nación por medio de una combinación de educación, publicación, regulación y reforma estructural y legal. Si este libro es un estímulo para lograr esa meta, mi tiempo escribiéndolo habrá sido bien invertido. Pero el punto es que el trabajo hay que hacerlo. De lo contrario, la economía financiera seguirá quitándole, de forma excesiva, valor al ya creado por nuestras empresas productivas, y en los tiempos de retos que veo que se avecinan, ésa es una pérdida que no podemos tolerar más.

En junio de 2007, el mejor alumno y profesional en Economía de la Universidad de Princeton, Glen Weyl, (ahora Dr. Weyl, después de haber obtenido su título de PhD en Economía, tan sólo un año después), describió su pasión por la investigación intelectual de esta manera: "Hay preguntas tan importantes que es difícil, o debería serlo, pensar en cualquier otra cosa". La función eficiente del defectuoso sistema de intermediación financiera en nuestra nación, es una de esas preguntas.

Es hora no sólo de pensar en esta pregunta, sino de estudiar su profundidad, calcular sus costos y relacionar esos costos con los valores que los inversionistas no sólo esperan ganar, sino que tienen el derecho de ganar. Nuestro sistema financiero genera costos más que suficientes, de hecho demasiados costos, y por lo tanto (de nuevo, por definición) prácticamente no crea suficiente valor para los participantes del mercado. Sin duda, las finanzas les arrebatan su sustento a quienes les arrebatan su sustento a la naturaleza, el comercio y las ventas. Es esencial que exijamos que el sector financiero funcione de una manera mucho más efectiva para el interés público y de los inversionistas, y no como lo hace en la actualidad.

—CAPÍTULO 2—

Demasiada especulación, poca inversión

Invertir se trata completamente de tener empresas a largo plazo. El hecho de hacer negocios se concentra en la acumulación gradual de valor intrínseco, derivado de la habilidad que tengan nuestras corporaciones que se encuentran en el mercado público de acciones para producir los bienes y servicios que exigen nuestros consumidores y ahorradores, competir de forma efectiva, prosperar en el emprendimiento y capitalizar el cambio. Los negocios le añaden valor a nuestra sociedad y a la riqueza de nuestros inversionistas.

Durante más de un siglo el creciente valor de nuestra riqueza corporativa, la acreditación acumulativa de entrega de dividendos y el crecimiento de utilidades, se asemeja a una línea ascendente de suave pendiente, con algunos pocos cambios significativos, por lo menos durante los últimos 75 años.

La especulación es precisamente lo opuesto. Se trata completamente de un *intercambio* a corto plazo, y no de la *posesión* de instrumentos financieros a largo plazo —trozos de papel y no empresas— concentrados principalmente en creer que sus precios, a diferencia de sus valores intrínsecos, aumentarán, sin duda una especulación de que los precios de acciones selectas crecerán más que otras, mientras que las expectativas de otros inversionistas incrementaran a tal punto que igualarán las propias. Una línea mucho más accidentada y espasmódica representa el camino de los precios de las acciones sobre el mismo periodo en comparación con la de las utilidades de inversión.

La clara diferencia entre la inversión y la especulación, así se haya olvidado en la actualidad, es muy vieja. La mejor definición moderna la estableció en 1936 el economista británico John Maynar Keynes en su libro *General Theory of Employment, Interest and Money*. Encontré por primera vez ese libro en Princeton en 1950 y lo cité en mi tesis de grado sobre la industria de los fondos colectivos.

La definición de *inversión* de Keynes, él la llama "empresa", es "predecir el rendimiento potencial de un activo durante toda su vida". Él define la *especulación* como "la actividad de predecir el mercado". A Keynes le preocupaba mucho la posibilidad de que cuando los administradores de dinero profesionales no pudieran compensar la opinión uniformada de las masas ignorantes involucradas en la especulación pública, se mudarían lejos de la inversión hacia la especulación, convirtiéndose ellos mismos en especuladores. Así que hace 70 años nos lo advirtió: "Cuando una empresa se convierte en una mera burbuja en medio de un torbellino de especulaciones y el desarrollo de capital de un país se convierte en el producto de las actividades de un casino, es muy probable que el trabajo del capitalismo esté mal hecho".

En el corto plazo, las utilidades de inversión sólo están levemente ligadas a utilidades especulativas. Pero a largo plazo, ambas utilidades deben ser, y lo serán, idénticas. No me creas solamente a mí. Escucha a Warren Buffet, porque nadie más lo ha dicho mejor: "Lo que más pueden ganar los propietarios en conjunto, de aquí al Día del Juicio, es la ganancia total de su empresa". Ilustrando el punto con Berkshire Hathaway, la empresa de inversiones con acciones públicas que Buffet ha dirigido por más de 40 años, él dice: "Cuando de forma temporal las acciones se desempeñan mejor que la compañía, o por debajo de la misma, un limitado número de accionistas, ya sean vendedores o compradores, reciben beneficios descomunales a expensas de aquellas personas con quienes negocian. *Pero, con el tiempo, las ganancias en conjunto que generan los accionistas de Berkshire deben coincidir con las utilidades de negocios de la empresa" (énfasis añadido)*[3].

Dicho de otra forma, como alguna vez lo expresó el gran mentor de Buffet, Benjamín Graham, "el mercado de acciones a corto plazo es una máquina de *votación*... pero a largo plazo es una máquina de *pesaje*"[4]. Sin embargo debemos ir un paso más allá del obvio axioma de Buffet y del Sr. Graham. Porque aunque "las ganancias generales obtenidas por los accionistas de Berkshire, necesariamente deben coincidir con las utilidades de los negocios de la empresa", las ganancias o pérdidas generales de los compradores y vendedores, así estén negociando entre ellos en un círculo cerrado, no se equilibran de forma uniforme. Como grupo, los inversionistas captan las utilidades de Berkshire, pero como grupo, los especuladores no.

Una gigantesca distracción

Cuando los participantes de nuestro mercado son principalmente inversionistas concentrados en la economía de la empresa, el poder subyacente para que nuestras corporaciones obtengan una utilidad sólida sobre el capital invertido por sus propietarios es lo que impulsa el mercado de acciones y la volatilidad es baja. Pero cuando nuestros mercados son movi-

---

3. Citado en la Carta del Presidente, Berkshire Hathaway Reporte Anual de 1996, febrero 28, 1997. También disponible en www .berkshire-hathaway.com/letters/1996.html.
4. Benjamin Graham, *The Intelligent Investor* (originalmente publicado 1949; New York: HarperCollins, 2005).

dos, como en la actualidad, por especuladores, expectativas y esperanzas, codicia y temor, los inevitables cambios contraproducentes en las emociones de los participantes del mercado, desde el exaltado optimismo, hasta la oscuridad del pesimismo, producen alta volatilidad, y la turbulencia resultante que ahora presenciamos se hace casi inevitable.

¿Será saludable para los inversionistas esta especulación de los administradores de fondos colectivos y otros participantes del mercado? ¿Para nuestros mercados financieros? ¿Para nuestra sociedad? Claro que no. A largo plazo, todas las utilidades obtenidas por las acciones son creadas no por *especulación* sino por *inversión*, el poder productivo del capital invertido en los emprendimientos de nuestras empresas. Por ejemplo, la Historia nos dice que desde 1900 hasta 2007 el promedio anual calculado de utilidades en los mercados de valores fue de 9,5%, compuesto en su totalidad por utilidades de *inversión*, aproximadamente 4,5% de la rentabilidad por dividendo promedio y 5,0% del crecimiento de ganancias.[5] (¿Me atrevo a recordar que esta utilidad no refleja ninguno de los costos del tallador de inversión, ni la erosión de la inflación de los cuales hablamos en el capítulo anterior?).

Lo que llamo utilidad *especulativa*, es decir, el impacto anual de cualquier aumento o reducción en la relación precio/utilidades (P/U) o múltiplo P/U, resultó ser cero durante este periodo en el que los inversionistas pagaron un poco más de $15 dólares por cada dólar de utilidades (P/U= 15) al comienzo del periodo, y aproximadamente lo mismo al final. Desde luego, los cambios en la relación P/U pueden darse en periodos largos, pero sólo rara vez la utilidad especulativa a *largo plazo* añade más del 0,5% a las utilidades de inversión anuales o le restan más del 0,5% a la misma.

El mensaje es claro: a la larga las utilidades del mercado de valores han dependido casi en su totalidad de la *realidad* de las utilidades de inversiones relativamente predictivas ganadas por las *empresas*.

---

5. Las utilidades del mercado de acciones son cálculos del autor.

En esencia, las *percepciones* totalmente impredecibles de los participantes del mercado, reflejadas en los precios de acciones momentáneas y en los múltiples cambios que producen utilidades especulativas, no han servido para nada. Es la *economía* la que controla las utilidades de capital a largo plazo; el impacto de las *emociones*, tan dominante en el corto plazo, se disuelve. Por lo tanto, como lo escribí en mi libro *Little Book of Common Sense Investing* (John Wiley & Sons, 2007), "el mercado de acciones es una distracción gigantesca del negocio de inversiones".

Un juego de perdedores

La diferencia entre el mercado real y el mercado de *expectativas* probablemente la expresó mejor Roger Martin, Decano de la Escuela de Negocios de Rotam en la Universidad de Toronto. En el mercado real de las empresas, las verdaderas empresas gastan dinero real y contratan personas reales e invierten en equipos de capital real, para hacer productos reales y proporcionar servicios reales. Sí compiten con verdadera destreza, ganan utilidades reales con las cuales pagan dividendos reales. Pero eso exige una estrategia real, una determinación real y gastos reales de capital, sin mencionar la necesidad de verdadera innovación y verdadera precaución.

En contraste, en el mercado de las expectativas, los precios son determinados, no por las realidades del negocio que acabo de describir, sino por lo que esperan los inversionistas. Crucialmente, estas expectativas las establecen los números, los cuales en una medida importante son el resultado de lo que nuestras administraciones quieren que sean, fácilmente administrados, manipulados y definidos de varias maneras. Es más, no sólo permitimos sino que aparentemente animamos a los altos ejecutivos, cuyo trabajo real es desarrollar verdadero valor corporativo, a que apuesten en el mercado de las expectativas en donde sus opciones de acciones tienen un precio y un ejercicio. Esa práctica debería ser explícitamente ilegal, así como lo es en la mayoría de deportes profesionales. Imagina, por ejemplo, lo que sucedería si a los mariscales de campo de la Liga Nacional de Fútbol o los centros de la Asociación Nacional de Baloncesto se les permitiera apostar por los resultados a sus propios equipos antes del juego. Pero eso es exactamente lo que hacen los directores ejecutivos, lo cual explica por qué la compensación de opciones de acciones genera altas distorsiones en nuestro sistema financiero.

¿Cuál es el juego de los ganadores y cuál es el juego de los perdedores? ¿Apostar sobre números y utilidades reales, y comprar y conservar acciones a largo plazo? (Es decir, *invertir*.) ¿O apostar sobre números esperados y utilidades dispersas y en esencia rentar acciones en lugar de poseerlas? (Es decir, *especular*.) Si entiendes que tus oportunidades de ganar se ven reducidas ante las probabilidades de juego, ya sea en la lotería, en Las Vegas, en la pista de carreras o en Wall Street, cuando decidas ser especulador o inversionista, tus posibilidades ni siquiera se acercarán a una.

La especulación está en el asiento del conductor

A pesar de las matemáticas básicas que garantizan la superioridad de la inversión sobre la especulación, hoy vivimos en la era más especulativa de la Historia. Cuando llegué por primera vez al medio financiero en 1951, la tasa anual de rotación de acciones alcanzaba aproximadamente al 25%.[6] Se mantuvo en ese bajo rango durante casi 2 décadas, luego, gradualmente se incremento a más del 100% en 1998, acercándose al máximo registro de 143% de tasa de rotación de finales de la década de 1920. Pero el año pasado la tasa de rotación de acciones se volvió a duplicar. La rotación se elevó hasta el 215% y al 284% si le añadimos la asombrosa cifra de especulación en los fondos de cotización en Bolsa (ETFs, por su sigla en inglés).

---

6. Definimos la "rotación" como la proporción de acciones sobre la cantidad de acciones emitidas. Kenneth R. French, "The Cost of Active Investing", *Journal of Finance*.

Considera un crudo ejemplo de uno de los nuevos instrumentos financieros que tipifica el dramático recrudecimiento de la especulación. En 1955, cuando la capitalización total del mercado de índice S&P 500 era de $220 billones, ni siquiera existían los índices futuros o de opciones, que les permitirían a los participantes del mercado especular sobre (o cubrirse contra) el precio de los mismos. Luego se crearon los índices futuros y de opciones, una bonanza de mercadeo para la industria financiera. Estos nuevos productos facilitaron no sólo la apuesta en el mercado sino también el apalancamiento de tus apuestas. Para comienzos de 2008[7], el valor de estos derivados de S&P 500 (futuros y opciones) sumaron $29 trillones de dólares, más del doble de $13 trillones del valor comercial del mismo S&P 500. Entonces, ese mercado de expectativas por lo menos valdría el doble del mercado real, incluso si la actividad de alta rotación en las acciones mismas de S&P 500 no fuera dominada, como lo es, por negociaciones especulativas.

Un sencillo ejemplo demuestra que la especulación es un juego de perdedores. Asumamos que la mitad de las acciones de cada uno de los que hacen parte de 500 S&P sean propiedad de inversionistas que no las negocian en lo absoluto y la otra mitad pertenece a especuladores que sólo las intercambian entre ellos. Por definición, los inversionistas como grupo captarán las utilidades brutas de 500 S&P, los especuladores como grupo captarán, debido a sus costos de negociación, únicamente las utilidades netas (más bajas). La conclusión obvia: *los inversionistas ganan, los especuladores pierden.* No hay otro método. Así que la orgía de la especulación que estamos presenciando en la actualidad, mal sirve a los participantes de nuestro mercado. Sirve únicamente a Wall Street.

Cisnes negros y utilidades del mercado

Si la percepción (los precios provisionales de las acciones) se

---

7. Los totales de futuros y opciones son de la Junta de Comercio de Chicago y la Junta de Intercambio de Opciones de Chicago.

distancia de la realidad, es decir, los valores corporativos intrínsecos, la brecha se puede reconciliar *solamente* en favor de la realidad. Sencillamente es imposible igualar la realidad con la percepción en un corto marco de tiempo, la tarea dura y exigente de desarrollar valores corporativos en un mundo competitivo es una propuesta a largo plazo. Aun así, al parecer, cuando los precios de las acciones pierden contacto con los valores corporativos y se empiezan a formar burbujas, muchos participantes del mercado anticipan que los valores pronto se incrementarán para justificar los precios, en lugar de ser al revés.

Eso es lo que crea la mentalidad especulativa a los inversionistas. Los anima a ignorar lo inevitable así descarten la probabilidad de lo improbable. Y luego llega un día de negociación como octubre 19 de 1987, y las verdades eternas del mercado real una vez más vuelven a afirmarse. Sólo ese día, el cual llegó a ser conocido como "Lunes negro", el Promedio del Dow Jones Industrial se desplomó de 2.246 a 1.738, una asombrosa caída de 508 puntos o casi el 25%. Nunca había habido una caída tan precipitada. Sin duda, esa caída casi duplica la mayor caída de un día que se había dado anteriormente, la cual fue del 13% y que se dio el 24 de octubre de 1929 ("Jueves negro"), una lejana pero temprana advertencia respecto a la Gran Depresión que se aproximaba.

Desde su punto máximo a primera hora hasta la hora del cierre de la Bolsa de Valores en ese fatídico "Lunes negro" de 1987, se borraron cerca de $1 trillón de dólares del valor total del mercado de valores de Estados Unidos. La asombrosa caída parecía haber golpeado prácticamente a todos los participantes del mercado.

Pero, ¿por qué? En el mercado de valores *cualquier cosa* puede suceder, y yo defiendo ese punto aún con más vehemencia hoy.

Los cambios en la naturaleza y la estructura de nuestros mercados financieros, y un cambio radical en sus participantes, están haciendo que cada vez sea más probable que se presenten impactantes e inesperadas aberraciones. Los asombrosos giros del mercado que hemos presenciado en los últimos años tienden a confirmar esa probabilidad. En los años 1950 y 1960, los cambios diarios en el nivel de los precios del mercado de acciones típicamente superaban el 2% solamente 2 o 4 veces por año. Pero en el cierre del año de julio 30 de 2008, hemos visto 35 movimientos de esos, 14 hacia arriba y 21 hacia abajo. Basado en experiencias pasadas, la probabilidad de ese escenario era de... *cero.*

Así que la especulación no es solamente un juego de perdedores, es un juego cuyo resultado no se puede predecir con ningún tipo de confianza. Las leyes de probabilidad no se aplican a nuestros mercados financieros porque en los mercados financieros orientados hacia la especulación, no hay ninguna razón para esperar que sólo porque un evento nunca antes se haya presentado, no se pueda dar en el futuro. Metafóricamente hablando, *el hecho de que los únicos cisnes que nosotros los humanos hayamos visto sean blancos, no quiere decir que no existan los cisnes negros.* Como evidencia, no miremos más allá del "Lunes negro" que acabo de mencionar. No sólo fue totalmente impredecible y más allá de toda experiencia histórica, sino que también lo fueron sus consecuencias. Más que augurar malos días, demostró ser un anuncio del mayor mercado alcista registrado en la Historia. Así que nunca se sabe.

Nassim Nicholas Taleb capta esta idea con gran perspectiva en su libro, *The Black Swan: The Impact of the Highly Improbable* (Random House, 2007).[8] Pero Taleb sólo confirma lo que ya sabemos: de hecho, en los mercados financieros lo improbable

---

8. Taleb define un "cisne negro" como (1) un atípico más allá del reino de nuestras expectativas regulares, (2) un evento que tiene un impacto extremo, y (3) un acontecimiento que, después del hecho, nuestra naturaleza humana nos permite aceptarlo inventando explicaciones que lo hacen parecer predecible. Así que ahí está: eventos que son extraños, extremos y retrospectivamente predecibles. ¡La vida está llena de ellos, en especial en los mercados financieros!

es altamente probable, (o, como también lo observa Taleb, lo altamente probable es absolutamente improbable). Pero muchos de nosotros, aficionados y profesionales por igual, inversionistas, asesores y administradores, seguimos mirando hacia adelante con aparente confianza de que el pasado es un prólogo para los mercados financieros, basados en nuestras suposiciones de que las probabilidades establecidas por la Historia perdurarán. Por favor, por favor, por favor: no cuentes con eso.

Cisnes negros y utilidades de inversión

Los cambios diarios en el mercado no tienen *nada* que ver con el crecimiento a largo plazo de los valores de inversión. De hecho, aunque ha habido muchos cisnes negros en nuestros mercados financieros especulativos y orientados al corto plazo, *no* ha habido cisnes negros en las utilidades de inversiones a largo plazo generadas por los mercados de valores de Estados Unidos. ¿Por qué? Porque las empresas, como grupo, emplean el capital de forma efectiva, reaccionando y a menudo anticipándose a los cambios en la economía productiva de bienes manufacturados y servicios de consumo. Sí, para bien o para mal, enfrentamos giros críticos en nuestra economía, recesiones periódicas e incluso depresiones. Pero el capitalismo de Estados Unidos ha demostrado una sobresaliente resistencia manteniéndose estable a pesar de los cambios en el tiempo, impulsando el crecimiento de las utilidades y pagando dividendos que han aumentado rápidamente con el tiempo, al ritmo de nuestra creciente economía.

Sin embargo siempre ha existido el riesgo serio de que la especulación en nuestra volátil economía financiera (emociones) pueda dispersar su contaminación hacia nuestra economía de negocios más productiva (empresas). El gran economista estadounidense, Hyman Misnky, dedicó gran parte de su carrera a la hipótesis de la inestabilidad financiera, "la estabilidad conduce a la inestabilidad", la cual resumió con profundidad:

Los mercados financieros no sólo responderán a las exigencias de los líderes ejecutivos e inversionistas individuales, movidos por las utilidades, sino también como resultado del emprendimiento de las firmas financieras en busca de utilidades. En ninguna parte la evolución, el cambio ni el emprendimiento schumpeteriano[9] se hacen más evidentes que en la banca y las finanzas, y en ninguna parte el factor que genera el cambio es más claro que en el interés por obtener beneficios.

Mucho antes de la creación de la reciente ola de complejos productos financieros, Minsky observó que el sistema financiero está particularmente propenso a la innovación. Señaló la relación simbólica entre las finanzas y el desarrollo industrial, en los cuales la "evolución financiera juega un papel crucial en los patrones dinámicos de la economía". Cuando el capitalismo administrador de dinero se hizo una realidad durante los años 1980 y los inversionistas institucionales se convirtieron en los mayores repositorios de ahorros en el país, comenzaron a ejercer su influencia en nuestros mercados financieros y en la conducta de nuestros negocios empresariales.

La crisis de nuestro sistema financiero que por primera vez se hizo dolorosamente evidente a mediados del año 2007 fue una cruda advertencia del presentimiento de Minsky. Jeremy Grantham, uno de los inversionistas profesionales más precavidos del país, se encontraba entre los pocos participantes del mercado que parecen haberlo visto venir. Tituló su brillante ensayo sobre el cierre del año 2007 "La Crisis Minsky". Con el colapso de las acciones de las entidades patrocinadas por el gobierno, Fannie Mae y Freddie Mac, y con el Tesoro de los Estados Unidos asumiendo formalmente su responsabilidad por sus obligaciones de deudas apenas seis meses después, no había

---

9. Una referencia a la obra del gran economista Joseph Schumpeter, cuyo análisis sobre el papel del empresario como la fuerza impulsora en el crecimiento económico, ahora ha sido aceptada como parte de la sabiduría convencional. Hyman P. Minsky, "The Modeling of Financial Instability: An Introduction", Modelling and Simulation 5 (1974).

duda de que las predicciones de Grantham se habían hecho reales. Sólo el tiempo dirá si la crisis Minsky será meramente cíclica o poderosamente secular.

Las tortugas ganan

Pero los mercados financieros, tan especulativos como lo son de vez en cuando, proporcionan los únicos instrumentos líquidos que facilitan que seamos los dueños de nuestras empresas y nos permiten invertir nuestros ahorros. Así que, ¿qué se puede hacer en un mundo de inversiones lleno de especulación, rarezas, extremos y predicción retrospectiva? Peter L. Bernstein, un respetado estratega de inversiones, economista, autor de exitosos libros y quien recibió una notable serie de premios profesionales, dio un buen consejo en el 2001 en un ensayo titulado "La Solución 60/40", (60% acciones, 40% bonos), una estrategia concentrada en imitar a las tortugas inversionistas en lugar de imitar a las liebres especuladoras:

> *"Al invertir, las tortugas tienden a ganar mucho más seguido que las liebres ante los giros del ciclo del mercado... Hacer grandes apuestas en un futuro desconocido es peor que jugar porque en el juego por lo menos conoces las probabilidades. La mayoría de las decisiones en la vida que son motivadas por la codicia tienen infelices resultados"[10].*

Las liebres ganan (pero ¿cómo puede ser?)

Pero sólo unos años después, Bernstein cambió de opinión[11]. Permíteme resumir en unos pocos párrafos la esencia de su formidable e influyente artículo de la edición de marzo 1 de 2003, de su *Economics & Portfolio Strategy*:

---

10. Peter L. Bernstein, "The 60/40 Solution," Bloomberg Personal Finance, enero/febrero 2002.
11. Peter L. Bernstein, "Are Policy Portfolios Obsolete?" Economics & Portfolio Strategy, marzo 1, 2003.

Simplemente no sabemos nada sobre el futuro. Nada asegura que la experiencia histórica se reproduzca a sí misma en alguna forma, figura o secuencia. La prima de capital esperada no solamente es baja, sino que tampoco toma en cuenta las anomalías que se encuentran al acecho en el entorno actual de las inversiones. Vivimos en tiempos impredecibles.

Así que deshazte del peso extra de la optimización a largo plazo y permite que las fuerzas del corto plazo jueguen el papel dominante. Confía en un portafolio bipolar, con un segmento para buenas noticias y uno para malas noticias, haciendo que las clases de activos más volátiles hagan el trabajo. Construye murallas en torno a capitales, como futuros en oro, capital de riesgo, bienes raíces, instrumentos denominados en divisas extranjeras, valores del tesoro protegidos contra inflación (TIPS, por su sigla en inglés), y bonos a largo plazo.

Y la cereza del pastel: No hagas nada de esto de forma permanente. Las oportunidades y los riesgos vendrán y se irán. Cambia de ubicación con frecuencia. Sé flexible. Comprar y mantener inversiones es cosa del pasado, el modelo de mercado de oportunidad es el futuro.

Felicito a Peter Bernstein por caminar, sobre alfombra roja y todo, hacia un ruedo lleno de toros y osos, y lo admiro inmensamente por tratar de reconciliar lo irreconciliable. Y sin duda hay mucho mérito en lo que él recomienda, sin importar lo difícil de implementar que pueda ser. Pero a mi juicio, lo que él realmente está recomendando es especulación. Y ese es un juego de perdedores.

Los peligros de la oportunidad de mercado

Ya sea que la oportunidad de mercado esté motivada por la codicia o el temor a cualquier otra cosa, el factor ineludible es que, para los inversionistas como grupo, *no hay oportunidad de mercado*. Para bien o para mal, todos los que somos inversionistas, en conjunto somos los dueños del portafolio total del mercado. Cuando un inversionista toma prestado de Peter (¡no es un juego de palabras!) para pagarle a Paul, otro hace lo opuesto y el portafolio del mercado no se entera ni le importa. Esta transferencia de tenencias entre los participantes es especulación pura y simple.

Desde luego, de forma individual, cualquiera de nosotros tiene la oportunidad de ganar si se aleja del portafolio del mercado. Pero ¿sobre qué razones basaremos nuestra oportunidad de mercado? ¿En nuestra convicción sobre la posible prima de riesgo?[12] ¿En la preocupación sobre los riesgos *conocidos* que ya están presumiblemente reflejados en el nivel de precios del mercado? ¿En la preocupación sobre los riesgos *desconocidos*? (No es tarea fácil adivinar lo desconocido). Sí, como lo dice Bernstein, "las oportunidades y los riesgos aparecerán y desaparecerán a corto plazo". Estoy de acuerdo con esa propuesta. Pero las emociones humanas y las fallas en el comportamiento militan contra nuestra posibilidad de capitalizarlas. Tómame como alguien que sencillamente no cree que la oportunidad de mercado funcione.

No olvides que tu increíble éxito para hacer consistentemente cada movimiento en el momento correcto del mercado no es más que mi patético fracaso en hacer cada movimiento en el momento equivocado. Uno de nosotros, metafóricamente hablando, debe estar del lado opuesto de todas y cada una de las negociaciones. Toda una vida de experiencia en este negocio me hace profundamente escéptico respecto a todas las formas de especulación, incluyendo la oportunidad del mercado. No conozco a nadie que pueda hacerlo con éxito, ni a nadie que lo haya hecho en el pasado. Caramba, no conozco ni siquiera a una persona que conozca a alguien que haya cronometrado el mercado con resultados consistentes, exitosos y replicables.

---

12. La prima de riesgo es la cantidad por la cual las utilidades anuales de las acciones han superado, o se esperaba que superara, la taza de utilidades libre de riesgos (usualmente bonos o cuentas del Tesoro de Estados Unidos).

Ya es suficientemente difícil tomar una sola decisión correcta y a tiempo. Pero tienes que acertar dos veces. Porque el acto de, digamos, salir del mercado, implica el acto de entrar después y a un nivel más favorable. ¿Pero cuándo, por favor? Tendrás que decírmelo. Y si las probabilidades de tomar la decisión correcta son, debido a los costos, aún más bajas que 50-50, las posibilidades de tomar dos decisiones correctas son menos de 1 entre 4. Y las probabilidades de tomar, supongamos, una docena de decisiones correctas oportunamente, —difícilmente muchas para una estrategia basada en la oportunidad del mercado—, parecen ser casi ningunas. Apostar durante unos 20 años a esas probabilidades te dará sólo una oportunidad entre 4.096 para ganar (pasando por alto el impacto negativo de los costos de transacción asociados a la implementación de cada una de esas decisiones).

¿Una oportunidad en 4.096? ¿Son esas buenas probabilidades para apostar? Basta decir que Warren Buffet no lo cree. A mediados de 2008 se informó que él asumió el lado opuesto de una apuesta no muy diferente. Se metió en una apuesta de $320.000 dólares con Protégé Partners, una firma que administra fondos de fondos de cobertura, apostando que después de 10 años, los cuales terminan en el 2017, los rendimientos del Fondo insignia de Vanguard, 500 Index Fund, superarán el retorno colectivo de los 5 fondos de cobertura (inevitablemente) especulativos y descontrolados, que aplican el método de oportunidad del mercado y de comercio agitado elegidos por los supuestos expertos de Protégé. Desde luego que soy parcial, pero esa es una apuesta que incluso me habría gustado hacer con mi propio dinero. (A propósito, no importa quién gane, el dinero de ambos lados, $1 millón de dólares, incluyendo los intereses ganados, será donado a la caridad).

Logrando un equilibrio

Desde luego, nuestros mercados necesitan especuladores, —empresarios financieros, negociadores, y comerciantes a largo plazo, personas que asuman riesgos, que busquen constantemente anomalías e imperfecciones en el mercado para obtener una ventaja rentable. Igualmente es cierto que nuestros mercados necesitan inversionistas, — financieros conservadores, propietarios de acciones a largo plazo que tengan en alta estima los valores tradicionales de prudencia, estabilidad, seguridad y solidez. Pero se requiere alcanzar un equilibrio, y a mi juicio, la poderosa y debilitadora turbulencia de hoy es uno de los precios que pagamos por permitir que el equilibrio se nos salga de las manos.

La mayoría de los temas en el párrafo anterior aparecen en el brillante reporte de 2001, *On Money and Markets*, escrito por el economista e inversionista Henry Kaufman, uno de los sabios de todos los sabios en la larga Historia de Wall Street. Es claro que el Dr. Kaufman comparte mis preocupaciones al expresar sus propios temores acerca de la mercantilización de Wall Street, la globalización de las finanzas, los límites sobre el poder de quienes hacen las normas y la transformación de nuestros mercados. En su capítulo final, él resume sus preocupaciones:

> *La confianza es la piedra angular de la mayoría de las relaciones en la vida. Las instituciones financieras y los mercados también deben descansar sobre la base de la confianza... Los emprendimientos financieros sin limitaciones pueden llegar a ser excesivos al igual que dañinos, llevando a serios abusos y pisoteando las normas básicas y morales del sistema financiero. Tales abusos debilitan la estructura financiera de una nación y minan la confianza pública en la comunidad financiera... Sólo si mejoramos el equilibrio entre la innovación emprendedora y los valores más tradicionales, podremos mejorar la relación entre costo y beneficios de nuestro sistema económico... Los reguladores y líderes de instituciones financieras deben ser los más diligentes de todos.*[13]

---

13. Henry Kaufman, *On Money and Markets: A Wall Street Memoir* (New York: McGraw-Hill Trade, 2001).

No podría estar más de acuerdo. Sin duda nuestro fracaso al no tratar antes con estos problemas es lo que tendió el escenario para las crisis financieras de hoy. Así que cada uno de nosotros debe estar preocupado en el triunfo momentáneo de la especulación a corto plazo en nuestros mercados financieros, de lo cual ya tenemos demasiado, a expensas de la inversión a largo plazo, de la cual casi no tenemos suficiente. Pero depende de los actuales participantes del mercado, así como de los académicos y los reguladores, quienes deben trabajar juntos para restaurar ese equilibrio y volver el conservatismo financiero a su correcta preminencia. De lo contrario, parafraseando la preocupación citada anteriormente en este capítulo, expresada por Lord Keynes hace tantos años, "los riesgos que enfrentamos ahora respecto a que la empresa se ha convertido en una burbuja en medio de un torbellino de especulación, significan que el trabajo del capitalismo se está haciendo mal".

Eso es lo que ha sucedido, y nuestra sociedad no puede permitir que eso siga sucediendo.

CAPÍTULO 3

Demasiada complejidad, poca simplicidad

P ara mí, la simplicidad siempre ha sido la clave del éxito en las inversiones, al igual que la indeleble sabiduría planteada en *La navaja de Occam*, establecida por el filósofo del Siglo XIV, William de Occam, la cual me ha guiado con claridad: *Cuando tengas varias soluciones para un problema, elige la más sencilla*[14]. Mi carrera ha sido un monumento, no a la brillantez de la complejidad, sino al sentido común y a la sencillez, "la misteriosa habilidad", como lo dijo un observador al referirse a mí, "para reconocer lo obvio". (¡No estoy seguro si lo dijo en tono de halago!) Entonces reconozcamos algunos de los factores simples y obvios de nuestra complicada vida financiera y de las inversiones de la actualidad, comenzando con el papel de la innovación.

---

14. Occam expresó la navaja (o regla) de varias formas en sus escritos. La versión más común se traduce del latín como "la pluralidad nunca debería postularse sin necesidad".

Es difícil discutir contra el valor de la innovación. Nuestros computadores portátiles probablemente tengan suficiente poder de cálculo para enviar a un hombre a la luna. Con pequeñas versiones de bolsillo podemos conectarnos a redes inalámbricas en todo el mundo, mantenernos en contacto con nuestros hijos y tomar, enviar y almacenar fotografías. La Internet proporciona un almacenamiento de toda la información que se requiere a disposición. Las ventas por Internet les han dado a los consumidores el beneficio de una competencia de precios nunca antes imaginada. La tecnología médica (como trasplantes de corazón) ha mejorado y alargado nuestra vida y su calidad.

Pero en el sector financiero la innovación es diferente. ¿Por qué? Porque aquí existe una clara dicotomía entre el valor de la innovación para la institución financiera en sí, así como el valor de la innovación para sus clientes. Las instituciones financieras funcionan según el modelo de la navaja de Occam pero a la *inversa*. Tienen un gran incentivo para favorecer lo complejo y costoso por encima de lo sencillo y barato, en gran medida lo opuesto a lo que la mayoría de inversionistas necesitan y quieren.

La innovación en finanzas está diseñada en gran parte para beneficiar a quienes crean los complejos nuevos productos en lugar de beneficiar a quienes los poseen. Por ejemplo, considera la producción de utilidades (y la distensión de costos) que se presenta a lo largo de la cadena alimenticia de la creación de obligaciones de deuda con garantía respaldadas con hipotecas, (CDOs, por su sigla en inglés). El corredor de hipotecas trae al prestador y recibe una comisión del banco.

El banco recibe una comisión cuando asegura la hipoteca, la agencia de calificación recibe honorarios (estimados en $400.000 dólares por bloque) por cada fianza que evalúa (desde luego, por lo general, a cambio de otorgar la calificación acordada de AAA, sin la cual no se puede vender). El corredor de bolsa recibe una comisión al venderles la fianza a los consumidores. Los costos, así estén bien escondidos, los terminan pagando entre la persona que toma prestado el dinero para comprar una casa y el inversionista usuario final que compra el portafolio de obligaciones de deuda con garantía. Los múltiples talladores, todos intermediarios, cosechan las recompensas.

Con la insondable complejidad de estas y otras innovaciones financieras y la aprobación, y yo diría que la complicidad, de nuestras agencias de calificación, esta prestidigitación financiera crea una versión moderna de la alquimia. Comienza con el *capital,* como si fuera un paquete de, digamos, 5.000 hipotecas con calificación B o BB, y algunas pocas A incluídas. Luego, milagrosamente son convertidas en *oro,* como si fueran un portafolio de obligaciones de deuda de $500 millones en los que el 75% (en un caso típico) de sus bonos tiene calificación AAA, 12% tiene calificación AA, 4% tiene calificación A y sólo el 9% es de calificación BBB o menor. (Consejo: ahora sabemos que, a pesar del carácter de reducción de riesgo de una diversificación tan amplia, el capital sigue siendo capital).[15]

Para los bancos la atracción de estos portafolios es elemental: a ellos les gusta recibir grandes pagos por prestar dinero, y cuando pueden sacar rápidamente los préstamos de sus propios libros y ponerlos en manos del público (la llamada secularización), no es una gran sorpresa que no les preocupe mucho la solvencia de las familias a quienes les han aprobado hipotecas para comprar casa.

Derivados: bailando al ritmo de la música

Como han sido de interés periodístico, estos complejos portafolios de obligaciones de deuda con garantía y medios de estructuración de inversiones (SIVs, por su sigla en inglés, en

---

15. A mediados del 2008 *Grant's Interest Rate Observer* examinó uno de estos portafolios de obligaciones de deuda con garantía. El valor original de su capital era de $2 billones de dólares. Cada serie de bonos había sido degradada, los bonos con calificación AAA ahora tenían calificación B1 ("alto riesgo de crédito especulativo"). El valor estimado de todo el portafolio se había desplomado en más del 80% hasta $362 millones.

esencia fondos de mercado de dinero que toman prestado a corto plazo y prestan a largo plazo, por lo cual carecen de la seguridad de los fondos de mercado de dinero reales) son solamente la punta del iceberg de un crecimiento enorme en estos complejos instrumentos financieros que han ahogado a nuestros mercados financieros y sustituido la capitalización y el volumen de comercialización de las mismas inversiones.

Al mismo tiempo, los mercados se han inundado de los llamados derivados, es decir, instrumentos cuyos valores se derivan de otros instrumentos financieros. (Recuerda lo que hablamos anteriormente sobre los futuros y las opciones de S&P 500 Index). Por medio de permutas de tasas de interés y permutas de incumplimiento de créditos (no preguntes) intercambiados en cuestión de milésimas de segundo de acá para allá alrededor del mundo, estos derivados se usan para asumir riesgos, aumentarlos y (paradójicamente) para cubrirlos. Sus volúmenes de intercambio son asombrosos (aunque pocas veces los divulgan) y su dimensión es grotescamente desproporcionada frente a los instrumentos de los cuales se deriva su valor. (Las obligaciones de crédito sujetas a las permutas de incumplimiento se estiman en $2 trillones de dólares, las mismas permutas totalizan $62 trillones).[16] El valor teórico del capital de todos los derivados está más allá de lo imaginable, unos $600 trillones de dólares, casi 10 veces los $66 trillones del producto interno bruto (PIB) de todo el mundo.[17]

La innovación de derivados ha enriquecido al sector financiero (y a las agencias de calificación) con sus enormes honorarios, incluso con los sobrevalorados portafolios de obligaciones de deuda con garantías que, por así decirlo, han causado estragos en los balances generales de quienes los compraron y ahora han quedado estancados, incluyendo sorpresivamente a los bancos y los corredores de bolsa que los crearon y los vendieron. Ya que prácticamente todos los administradores de fondos colectivos

---

16. Bank for International Settlements, Reporte trimestral, junio 2008.
17. CIA, *The 2008 World Factbook*.

también administran dinero de pensiones, al haber adoptado ampliamente los de portafolios de obligaciones de deuda con garantía, también erosionaron los planes de jubilación de decenas de millones de ciudadanos.

Para no quedarse atrás, los medios de estructuración de inversiones (SIVs por su sigla en inglés) también han causado estragos. Pues resulta que para venderles estos instrumentos a sus clientes los bancos emitieron cada vez más las llamadas obligaciones de liquidez para los compradores, garantizando de forma efectiva la recompra de los medios de estructuración de inversiones a demanda con su valor nominal. Resulta que Citigroup no sólo tenía registrados en sus libros $55 billones de dólares en portafolios de deuda con garantía, sino también aproximadamente $25 billones en activos de medios de estructuración de inversiones que podían ser "devueltos" al banco (y posteriormente así fue), a riesgo de no ser revelados públicamente por Citigroup hasta noviembre 4 de 2007.

Asombrosamente, Robert Rubin, Presidente del Comité Ejecutivo de Citigroup (y, se puede decir, un hombre de no poca perspicacia financiera) ha dicho que hasta el verano del 2007 *nunca había sabido de alguna obligación de liquidez*. Tal admisión no es tan vergonzosa como el comentario del ex-Presidente Charles Prince cuando la tormenta de crisis financiera estaba por estallar: "Mientras suene la música, tienes que seguir bailando. Todavía estamos bailando". Sólo podemos preguntarnos cuándo fue que los directivos de los bancos dejaron de mirar sus balances generales.

Durante los meses posteriores al deterioro de la posición crediticia de nuestros bancos y bancos de inversión más grandes (así como muchos bancos más pequeños), la crisis se extendió hacia dos de nuestras empresas patrocinadas por el gobierno (GSEs, por su sigla en inglés) conocidas como Fannie Mae y Freddie Mac. Ambas han otorgado aproximadamente $5 trillones de dólares en préstamos hipotecarios a familias estadounidenses, parte esencial de la política de la nación para estimular la

propiedad de vivienda. Mientras que sus portafolios de hipotecas son de mucha mayor calidad que los portafolios alquimistas
de obligaciones de deudas con garantía (digamos, $40 dólares
de dinero prestado por cada $1 de activos) estas firmas bien apa-
lancadas, propiedad de accionistas, dependen de los préstamos
regulares en el mercado de dinero.

Los temores sobre su solvencia (a pesar del respaldo implí-
cito del gobierno federal) han conducido al colapso de aproximadamente el 80% de los precios de sus acciones. Frente a una
crisis de crédito generada en parte por fuertes ejecuciones hi-
potecarias en todo el país, el Tesoro de Estados Unidos no tenía
más opción que afirmar formalmente su apoyo a estas empresas
respaldadas por el gobierno.[18] Pero este problema va más allá del
crédito. Esto genera la profunda pregunta política en cuanto a
si es sensible o deseable, o incluso posible, privatizar las jugosas
utilidades que se obtienen al prestar mediante hipotecas (sus
accionistas ganaron billones, sus ejecutivos obtuvieron fortunas
como compensación), al mismo tiempo que socializamos los
riesgos (los contribuyentes fueron los que asumieron la responsabilidad). Es más, ¿por qué razón nuestro gobierno debería usar
los dólares de los contribuyentes para devolverles la seguridad a
empresas ineficientes y manejadas de forma descuidada? Seguramente se ha recorrido mucho desde el capitalismo visualizado
por el economista Joseph Schumpeter.

Los vendedores ganan, los inversionistas pierden

Puesto que hay dinero para hacer, mucho dinero, la creación
y comercialización de innovaciones inevitablemente complejas
es una enfermedad contagiosa. Los portafolios de obligaciones
de deudas con garantía y sus ya cientos de innovadores allegados
en la banca, han hecho eco en la abundancia de innovaciones

---

18. Incluso este respaldo demostró ser insuficiente para aliviar la gran
presión financiera de estas dos empresas. Así que en septiembre del 2008
el Departamento del Tesoro de Estados Unidos las puso bajo tutela federal.

entre los fondos colectivos de acciones y de bonos. Recientemente estas innovaciones de fondos que desmienten la simplicidad parecen haber sido diseñadas para responder de forma
más generalizada a los rendimientos que los fondos de bonos y
acciones dejaran tras las normas históricas, y mucho más detrás
de las idílicas normas de las décadas de 1980 y 1990, cuando las
utilidades anuales de las acciones promediaban el 17% y las de
los bonos, el 9%.

¿Quién no querría volver a esos días? ¡Definitivamente
nunca nos fue tan bien, ni antes ni después de esa época! Pero,
para la próxima década, sí sabemos (dentro de una tolerancia
razonablemente estrecha) qué utilidades esperar de los portafolios de bonos y acciones simples y ampliamente diversificados
(aproximadamente 7% y 5% respectivamente). Así que no tenemos otra opción más que confiar en las expectativas razonables, formadas sobre la base de los recursos conocidos de los
rendimientos de acciones (el rendimiento del dividendo inicial
más la subsecuente tasa de crecimiento de utilidades) y los rendimientos de bonos (la tasa de interés inicial). Entonces ¿qué
explica nuestras expectativas (o esperanzas) de que podemos
ser más astutos que los mercados y añadir utilidades adicionales
eligiendo estrategias complejas o administradores que tengan
óptimos subconjuntos del portafolio de mercado? El doctor
Samuel Johnson respondería: "Fue el triunfo de la esperanza
sobre la experiencia".

¿Entonces, qué resulta de todo este revuelto de innovación
de fondos más que una plétora de administración y asesoría y
cargos por transacción? Inevitablemente quedamos con cierta melancolía acerca de los objetivos de quienes facilitan estos
servicios de intermediación. Ellos deben saber muy bien que
la mayoría de inversionistas ha obtenido un mal servicio y recibiría uno mejor con la estrategia sencilla y directa del índice
general del mercado, de la cual Vanguard fue pionero. Sin duda,
al renunciar a dirigir Magellan Fund en 1990, hasta el reconocido Peter Lynch, de Fidelity dijo: "La mayoría de inversionistas
mejorarían en un fondo indexado". ¡Tenía razón!

"No te quedes ahí parado. ¡Piensa en algo!"

Pero en las finanzas, tenemos que dirigir empresas. Sin embargo, infortunadamente para nuestros inversionistas, hay mucha presión para formar y dar respuesta a las percepciones de corto plazo de nuestros clientes. Hecho que, para bien o para mal, domina el mercadeo de productos financieros, por lo menos tan fuertemente como en los productos de consumo tales como autos, perfumes, pasta dental y joyas. Pero toda esta baraja de papeles financieros conlleva a un costo que afecta a los inversionistas.

Como lo dijo Benjamin Graham hace mucho tiempo en septiembre de 1976[19], coincidencialmente poco después del lanzamiento del primer fondo indexado: "El mercado de valores se asemeja a un gran servicio de lavandería en el que los inversionistas reciben grandes cantidades de lo que los demás han de lavar, lo cual ahora está por el valor de 30 *millones* de acciones por día". (Él no pudo haber imaginado la especulación de hoy: más de tres *billones* de acciones por día). Esa es mucha ropa lavada, un reflejo del perenne consejo de Wall Street para sus clientes: "No te quedes ahí parado. ¡Piensa en algo!".

Desgraciadamente, la proposición inversa, "No te preocupes por nada. Solo quédate ahí parado", *aunque es la inevitable estrategia de todos los inversionistas en general,* (piénsalo, por favor), no sólo es contradictoria para las emociones que se dan en las mentes de prácticamente todos los que somos inversionistas individuales, sino también sería contraproducente para la fortuna de quienes venden valores y administran portafolios de valores. Aunque la industria disimuladamente afirma que los inversionistas deberían pasar por alto los fondos indexados y elegir los fondos diseñados en función de sus objetivos y requerimientos individuales, Ben Graham también tenía su opinión al respecto: "Sólo un cliché conveniente o una coartada para justificar el mediocre registro del pasado".

19. "Una conversación con Benjamin Graham," *Financial Analysts Journal 32* (5) (septiembre/octubre 1976).

Fondos colectivos: bajando el estándar

El interés público a veces exige introspección, así que más tarde exploraré más a fondo cómo la industria en la que he invertido mi vida ha fallado con unas de sus más elementales obligaciones de mayordomía para con sus accionistas, propietarios, para consigo misma y su propia historia, y cómo puede retomar el camino correcto. Por ahora permíteme decir que la industria ha corrido su propia alocada carrera hacia la innovación, desde los fondos de renta global a corto plazo y los fondos de hipotecas de tasa ajustable de los años 1980, hasta los fondos de bonos de alto rendimiento a "plazo súpercorto" del 2007 (los cuales fueron otro de los fracasos absolutos de la industria en la crisis del 2008).

La creación de literalmente cientos de fondos de tecnología, de telecomunicaciones, de Internet, y por el estilo, a fin de capitalizar la Era de la Información durante la manía de la Nueva Economía entre los años 1998 y 2000, es un ejemplo más de la compleja innovación sin control. A medida que el mercado crecía, los inversionistas de fondos fueron inyectando billones de dólares en estos fondos altamente promovidos, sólo para recibir un gran golpe en la siguiente caída.

De hecho podemos medir cuánto les cuesta a nuestros inversionistas aceptar esa venta masiva de fondos de innovación. Comparemos los rendimientos registrados por los *mismos fondos*[20] (rendimientos ponderados en el tiempo) con los rendimientos reales de los *inversionistas de fondos* (rendimientos ponderados en dólares) durante los 25 años finalizados en el 2005. El fondo de capital promedio *registró* una tasa anual de utilidad del 10% para el periodo, detrás de la utilidad del 12,3% en un fondo de S&P 500 Index. Pero los rendimientos *reales ganados* por los inversionistas de estos fondos fueron del 7,3%, 2,7 puntos porcentuales por año por debajo de las utilidades que los mismos fondos reportaron.

---

20. Las utilidades del inversionista son cálculos del autor.

Así que, acumulativamente, los inversionistas de fondos, en promedio vieron un incremento de capital de sólo el 482% durante el periodo. Pero, si sólo hubieran comprado y conservado el portafolio de mercado por medio de un fondo de índice, habrían ganado un aumento de capital del 1.718%, ¡casi cuatro veces mayor! Gracias a la innovación y a la creatividad de los patrocinadores de fondos, y muy seguramente, también a la codicia (o necesidad percibida) de los inversionistas de fondos, el rendimiento que los inversionistas de fondos colectivos obtuvieron sobre el capital que reunieron con mucho esfuerzo, fue menos que un tercio de las utilidades ofrecidas por el mismo mercado de valores. Las pérdidas fueron mucho menores para los fondos principales; para sus primos de la Nueva Economía fueron asombrosas. ¡Mucho para el bienestar del inversionista!

En cuanto al bienestar de los administradores, de forma conservadora podemos estimar que el total de costos y ventas pagados a los administradores de fondos y distribuidores durante este periodo, están alrededor de los $500 billones de dólares. Entonces sí, alguien está obteniendo grandes utilidades por saltar al vagón de la innovación, pero, a menos que seas un administrador de fondos o un distribuidor, ese alguien no serás tú.

A veces para bien, pero en la mayoría de los casos para mal

En medio de esta ola de complejidad, ¿hemos olvidado el hecho de que la inversión más productiva es la más simple, la más pacífica, la menos costosa, la inversión más efectiva en cuanto a impuestos, la inversión con estrategias más consistentes y la perspectiva de tiempo más larga? Por lo visto sí. Y me temo que las nuevas y vivaces repeticiones (más que todo de fondos negociados en bolsa) del fondo indexado simple que generé hace tantos años, están ayudando a mostrar el camino. No me sorprende que a veces me levante sintiéndome como el Dr. Frankenstein. *¿Qué he creado?*

Permíteme ser claro: estoy de acuerdo con la innovación cuando esta sirve a los inversionistas de fondos. Y me complace haber tenido la suficiente fortuna de haber jugado un papel importante en varias innovaciones de esa índole en el pasado: el fondo de índice de mercado de valores, el fondo de índice de bonos, el fondo de bonos con vencimiento fijo, el fondo administrado según impuestos, e incluso el primer fondo de fondos (y Vanguard es la única firma, creo, que nunca ha recaudado una capa adicional de porcentajes de gastos en tales fondos).

En años recientes ha habido otras innovaciones favorables para los inversionistas, incluyendo fondos con enfoque en la jubilación y fondos de estrategia de vida. Bien usados (¡y con los precios adecuados!), estos fondos fácilmente pueden servir como un completo programa de inversión a largo plazo. Pero en la actual ola de innovación de fondos, no veo otros que tengan la probabilidad de servir efectivamente a los inversionistas. Permíteme darte un pequeño esquema de "productos" que se han creado recientemente y darte mi opinión, (que a mi parecer es la forma equivocada de pensar respecto a los fondos colectivos).

Fondos negociables en el mercado

Los fondos negociables en el mercado (ETFs, por su sigla en inglés) sin duda son la innovación más aceptada en esta era. Desde luego admiro su respaldo al concepto de fondo indexado, y (con mayor frecuencia que no) sus bajos costos. ¿Y cómo no podría admirar el uso de índices de fondos negociables en el mercado que se conservan a largo plazo, e incluso índices de fondos negociables de amplios segmentos en el mercado que se usan en cantidades limitadas para alcanzar metas específicas? Pero tengo inquietudes serias en cuanto al intercambio rampante de la mayoría de estos fondos y el impacto negativo de las capas de comisiones de corretaje.

Es más, me pregunto por qué sólo 21 de los 817 fondos negociables en el mercado cumplen con los requisitos clásicos de mayor diversificación posible en los mercados de valores de

Estados Unidos y del mundo, y los 739 fondos restantes invierten en sectores del mercado de valores que van desde lo razonable hasta lo absurdo. (Los otros 57 son fondos negociables en el mercado basados en varios fondos de índices). En esta última categoría incluiría sectores tan pequeños como "Emerging Cancer" y fondos apalancados que prometen duplicar los rendimientos del mercado ya sea en mercados superiores o inferiores. Para no quedarse atrás, algunos fondos negociables en el mercado ahora ofrecen la oportunidad de triplicar esos cambios. ¿Será que luego se podrá cuadriplicar?

Dicho de otra forma, estos fondos utilizados para inversión, son perfectamente sólidos, pero usados para especular son aptos para que los inversionistas terminen muy mal. En el año 2005, a sus 91 años, el economista ganador del premio Nobel, Paul Samuelson[21], equiparó la invención del primer fondo colectivo indexado a la invención de la rueda o del alfabeto. (Probablemente tenía prejuicios: su participación en ese fondo, el Vanguard 500 Index Fund, ayudó a pagar la educación de los 6 hijos y 15 nietos del Dr. Samuelson). Él nunca ha dicho algo similar respecto a los fondos negociables en el mercado, y no creo que nadie de esa categoría lo haga.

Indexación fundamental

Aunque este llamado método índice de valor de inversión se ha presentado como un tipo de revolución copérnica, la idea detrás de la metodología tiene décadas de antigüedad. Pero ofrecer tales fondos en la forma de fondos negociables en el mercado, sugiere que son útiles para el intercambio a corto plazo, una proposición dudosa según las apariencias. Y haberlos sacado únicamente *después* que el marcado aumentó en los rendimientos relativos de los fondos de valor durante el colapso del mercado de valores entre los años 2000 y 2002, deja entrever la motivación de mercadeo en la que los patrocinadores son muy buenos, aunque casi inevitablemente conlleva a perseguir el desempeño, cosa que presta un mal servicio a los inversionistas.

---

21. De correspondencia del autor con Paul Samuelson.

Desde luego, los patrocinadores de estos dudosamente llamados fondos indexados nos han asegurado que "invertir con valor gana" (no "ha ganado en el pasado"), en especial en tiempos difíciles. Pero en la evidente caída del mercado de mediados del año 2007 hasta mediados de 2008, los dos principales fondos indexados cayeron casi un 20%, nuevamente una pérdida de más de la mitad que la caída del 13% en un fondo estándar de S&P 500. En cuanto a los empresarios financieros que creen en la ponderación de portafolios basados en valores contables, ingresos y utilidades, y quienes creen en ponderar portafolios según dividendos, me interesa leer que ahora están discutiendo entre sí respecto a la estrategia correcta, generando aún más confusión para los inversionistas.

Fondos de rentabilidad absoluta

Dado el éxito verdaderamente notable de algunos de los mayores fondos de dotación universitaria de la nación, y algunos de los fondos de cobertura más especulativos, no es de extrañar que por todas partes los patrocinadores de fondos estén cayendo en la cuenta de crear nuevos fondos con una nueva cara usando supuestas estrategias similares: cobertura (fondos que a largo plazo son el 130% en acciones y a corto plazo, el 30%), neutral respecto al mercado (fondos sin exposición al patrimonio neto), productos básicos, equivalentes de capital de inversión o de patrimonio supuestamente privados, y más. Un par de consejos: primero, mira antes de saltar. Segundo, no saltes hasta que el fondo por lo menos haya generado un registro de 10 años. Además, recuerda (de nuevo, cortesía de Warren Buffet), "lo que el sabio hace al principio, el tonto lo hace al final".[22] O, como a veces lo expresa el Oráculo de Omaha, "en cada ciclo hay tres "i"[23]: primero el *innovador*, luego el *imitador*, y luego el *idiota*". No importa lo que te ofrezcan los administradores de fondos, no seas idiota.

---

22. Lisa Sandler, "Hay quienes dicen que la manía de recompra de acciones está yendo muy lejos", *Wall Street Journal*, septiembre 18, 1987.
23. Brian M. Carney, "La crisis del crédito va a empeorar, (Entrevista con Theodore J. Forstmann)," *Wall Street Journal*, julio 5, 2008, A9.

Fondos de productos básicos

Principios: Los productos básicos no tienen tasa interna de rendimiento. Sus precios se basan completamente en la oferta y la demanda. Es por eso que son considerados especulaciones y se clasifican como especulaciones. Por el contrario, los precios de acciones y bonos sólo se justifican según su tasa interna de rendimiento, compuestos, respectivamente, por el crecimiento de dividendos y ganancias y por cupones de interés. Es por eso que las acciones y los bonos son considerados inversiones. No tengo problema en admitir que la creciente demanda a nivel mundial, la cual en años recientes ha ayudado a generar el gran aumento en los precios de la mayoría de productos básicos, bien puede continuar. Pero es probable que no. No estoy del todo seguro de que la especulación sobre el aumento de precios futuros se vea recompensada.[24]

Fondos de gestión de pagos

Aparentemente, hasta hace poco, la industria de fondos descubrió que hay millones de inversionistas pasando de la fase de acumulación de inversión a la fase de distribución (aunque esa escritura demográfica ha estado en la pared por décadas). Así que tenemos nuevos fondos que, de hecho, garantizan el agotamiento de tus activos durante el periodo de tiempo que elijas (¡algo que *siempre* ha sido demasiado fácil de alcanzar!). También tenemos fondos diseñados para distribuir el 3%, 5%, o 7% de tus activos sin la necesidad de usar el capital. Sólo el tiempo dirá si eso sucederá, pero lo que al parecer la industria de fondos ha ignorado, por obvias razones, es la alternativa: servir a los inversionistas retirados aumentando el *ingreso por inversión* del fondo, el hombre olvidado de la industria de fondos. Pero la única forma sólida de proporcionar más ingresos por unidad de riesgo es atacando los gastos del fondo, es poco probable que se den tales innovaciones pensando en el cliente.

24. Un dato interesante: desde la época del gran incendio de Londres en 1666, hasta el final de la Primera Guerra Mundial en 1918, los precios de los productos básicos en Inglaterra no tuvieron cambios en su equilibrio. ¡Eso son dos siglos y medio!

Fondos de Brasil, Rusia, India, y China (BRIC) y fondos internacionales

Con los altísimos rendimientos en Brasil, Rusia, India y China durante los últimos años, los patrocinadores de fondos se apresuraron a comercializarlos. De eso no hay duda. Mi amplia experiencia advierte que para los inversionistas es contraproducente saltar al vagón de mayores rentabilidades pasadas. Desde luego, las fuertes caídas (entre el 30% y el 50% en la primera mitad del 2008) que por lo menos han sufrido India y China, aplastarán el deseo de inversión para ellos.

La Historia nos dice que cuando los rendimientos del mercado de valores de los Estados Unidos lideran el mundo, el capital social de los fondos de inversión fluye hacia la decadencia de mercados internacionales y luego aumenta cuando las emisiones no estadounidenses lideran. Así que, difícilmente sorprende que sólo el 20% del flujo de caja de los fondos de capital se haya dirigido hacia fondos no estadounidenses entre 1990 y el año 2000[25], cuando los mercados de valores de los Estados Unidos superaron ampliamente las emisiones extranjeras. Tampoco sorprende que desde entonces, con los mercados extranjeros superando las emisiones de los Estados Unidos, los papeles se hayan invertido. (En total, $220 billones de dólares fluyeron hacia fondos extranjeros en el 2007, y sólo unos $11 billones hacia los fondos de inversión nacionales. ¡Esa es una bandera roja!) Pero el riesgo es alto en los sectores más calientes de los mercados internacionales, así que ten cuidado. (También observa que desde 1990, las utilidades de los mercados de valores de los Estados Unidos, incluyendo su reciente auge, se han reducido por los rendimientos en capitales de los Estados Unidos: 6% anual, *versus* 10%).

El trabuco de la innovación

Ningún veterano de la industria con una perspectiva objetiva puede ver a este trabuco de innovación de otra forma que no

---

25. Datos de flujos de fondo tomados de Strategic Insight.

sea con malos ojos. El problema no es sólo que los rendimientos futuros, obtenidos con estrategias no probadas y generalmente costosas, sean impredecibles y pocas veces cumplan con sus exageradas promesas. El problema es que tal proliferación de fondos idiosincráticos que ignoran el valor de la simplicidad, inevitablemente resulta en una taza de fracaso del fondo que, así se anuncie en raras ocasiones, es poco menos que asombrosa. En un libro anterior escribí que de los 355 fondos que existían en 1970, sólo 132 sobrevivieron durante los siguientes 35 años.

En la época reciente, de 6.126 fondos colectivos que existían a comienzos del 2001, para mitad del 2008 practicamente 3.165 ya habían sido lanzados al cubo de la basura de la Historia. No sorprende que incluso los administradores de carteras que administran los fondos no "coman de su propia comida". Entre los 4.356 fondos de capital, 2.314 administradores no tienen acciones, *ninguna* en los fondos que administran. Yo pregunto: ¿cómo puede un miembro menos informado del público inversionista implementar de forma exitosa una estrategia a largo plazo con fondos colectivos si sólo la mitad de todos los fondos puede sobrevivir a un periodo tan corto como lo son siete años? ¿Y cómo pueden los inversionistas de fondos reunir algo de fe en los fondos que ahora existen cuando más de la mitad de sus administradores no pone su mismo dinero en la línea?

De hecho, es claro que los inversionistas de fondos ya no tienen mucha fe en sus fondos colectivos[26]. Una investigación de inversionistas de fondos adelantada por un reconocido administrador de fondos (no Vanguard) encontró que el 71% de los inversionistas no confía en la industria de fondos. Un 66% dijo que las firmas de fondos no asumen la responsabilidad de proteger el bienestar de sus accionistas. E incluso en el profundamente afectado sector financiero, los fondos colectivos están al final de la lista de proveedores de servicios confiables.

---

26. Jonathan Shieber, "Read's Exit Is a Boost for Clean Tech —Calpers Head Aims to Start Own Fund Focusing on Sector", *Wall Street Journal*, abril 29, 2008, C11.

De vuelta a lo esencial

Así que puedes considerarme un creyente en la innovación basada en la claridad, la consistencia y la predicción relativas al mercado y al bajo costo; innovación que a largo plazo será útil para los inversionistas, innovación que proporciona una oportunidad óptima que funcionará mañana en lugar de una innovación basada en lo que funcionó ayer; innovación que no sólo minimiza los riesgos de propiedad sino que claramente explica la naturaleza y alcance de dichos riesgos.

También puedes calificarme de enemigo de la complejidad, complejidad que ofusca y confunde, complejidad que viene de la mano con costos que benefician a sus creadores y vendedores, así esos costos frustren la remota posibilidad de que una extraña pero sólida idea pueda beneficiar a los inversionistas que la poseen.

Si parece que estoy reafirmando mi creencia en el fondo indexado, tanto en forma de bonos como de acciones, y en ideas como fondos administrados según impuestos, fondos de bonos con fecha de vencimiento, y fondos con fecha tope, (todos los cuales, en su mejor caso, tienen fondos indexados en su núcleo), bueno, me has entendido fuerte y claro. Al igual que William de Occam, creo que el mejor camino es el simple, casi siempre la ruta más corta hacia el éxito de inversión a largo plazo.

También tíldame de fundamentalista del índice (¡aunque no un fundamentalista del índice fundamental!), un apasionado creyente en la simplicidad del diseño original del fondo indexado, es decir, portafolios altamente diversificados de acciones ponderadas por su capitalización de mercado, siguen representando la regla de oro de los inversionistas. Si eso sin duda es cierto, entonces otros complejos productos de moda son degradados por toda esa alquimia.

Como lo vimos anteriormente, muchos han intentado, pero ninguno ha logrado obtener oro. Sin duda, todos estos años después, sigo luchando con desarrollar *cualquier* metodología (diferente a la de costos relativos) para identificar anticipadamente estrategias ganadoras o fondos ganadores, y para predecir con éxito por cuánto tiempo permanecerán esas estrategias o por cuánto tiempo los administradores de carteras seguirán administrando los fondos que en el pasado han generado mejores rendimientos.

Un resultado muy predecible

En este punto supongo que me he acorralado como un viejo líder de los fondos colectivos que se encuentra sin inspiración y poco impresionado por el surgimiento de la complejidad y los excesivos costos a expensas de la sencillez y el costo mínimo. ¡Pero es un gran corral!

Felizmente para mi paz interior y mi consciencia, veo que casi todas las posiciones que he presentado en este capítulo, las han aprobado algunos de los académicos más informados y respetados de nuestra época, entre ellos los laureados con el premio Nobel William Sharpe y Paul Samuelson (quien dentro de poco llegará a los 95 años de sabiduría en su haber), y por los inversionistas más exitosos de la era moderna, comenzando con el mismo Warren Buffet. Me alegra permitir que David Swensen, el brillante jefe de inversiones de la Fundación Universidad de Yale, un hombre de impecable carácter y reputación sin igual por su integridad intelectual, hable por estos intelectuales merecedores de premios, y por mí:

> *El fracaso fundamental del mercado en la industria de los fondos colectivos incluye la interacción entre los sofisticados proveedores de servicios financieros en búsqueda de beneficios y los ingenuos consumidores en búsqueda de rendimientos de productos de inversión. La búsqueda de utilidades por parte de Wall Street y la industria de fondos colectivos, abruma el concepto de responsabilidad fiduciaria, conduciendo a un resultado completamente predecible...*

La industria de los fondos colectivos fracasa continuamente en alcanzar la activa meta de gestión, la cual consiste en generar rentabilidades al ritmo del mercado… Un estudio académico bien estructurado de forma conservadora establece la tasa de fracasos antes de impuestos entre el 78% y 95% para periodos de entre 10 y 12 años (según lo medido frente a S&P 500 Index Fund).

A los inversionistas les va mejor con fondos administrados por organizaciones sin ánimo de lucro pues la firma administradora se concentra exclusivamente en servir a los intereses del inversionista. Con la responsabilidad fiduciaria de los administradores no hay conflictos de ánimo de lucro. Ningún margen de utilidad interfiere con los rendimientos de los inversionistas. No hay intereses corporativos externos que choquen contra las decisiones de gestión de cartera. Los beneficios del inversionista son primero y están en el centro de las organizaciones sin ánimo de lucro. En conclusión, un fondo indexado pasivo, administrado por una organización de inversión sin fines de lucro, representa la combinación que con mayor seguridad satisfará las aspiraciones del inversionista… Fuera de la enorme amplitud y complejidad del mundo de los fondos colectivos, la solución preferida para los inversionistas se mantiene en pie con fuerte simplicidad.[27]

En una palabra: *amén.*

El acertado tributo de Swensen a una ordenada estrategia dirigida al cliente, combinada con una estructura sencilla, también orientada al cliente, sirve como una profunda reafirmación al hecho de que nuestro sistema financiero actual tiene suficiente complejidad e innovación con sus brillantes costos excesivos, y tiene muy poca simplicidad con su dilución mínima de las ganancias del inversionista.

---

27. David Swensen, *Unconventional Success* (New York: Free Press, 2005).

LOS
NEGOCIOS

—CAPÍTULO 4—

Demasiada contabilidad, poca confianza

Albert Einstein fue único como físico teórico (salvo, probablemente, Sir Isaac Newton). Es probable que ningún otro ser humano en la Historia haya hecho más para cuantificar los aparentemente insondables misterios del Universo. Pero él no se preocupaba mucho por las matemáticas y decía: "No te alarmes por tus dificultades en matemáticas. Te aseguro que las mías son aún mayores".

Sin duda Einstein entendía bien los límites de la cuantificación y las limitaciones de la mente al querer avanzar en nuestro entendimiento de cómo funciona el mundo. Un letrero que colgaba en su oficina del Instituto de Estudios Avanzados en Princeton, New Jersey, se aplica de igual manera a todas las búsquedas humanas, incluyendo la ciencia:

> "No todo lo que cuenta se puede contar, y no todo lo que se puede contar, cuenta".[1]

---

1. Alice Calaprice, ed., *Dear Professor Einstein: Albert Einstein's Letters to and from Children* (Amherst, NY: Prometheus Books, 2002).

Esa norma también se aplica a lo concerniente a los asuntos de negocios. Desde luego, siendo el padre de la relatividad, Einstein debe ser tomado en términos relativos. En ningún negocio se puede confiar todo y no contar con nada. Como tampoco se puede contarlo todo sin confiar nada. Todo es cuestión de equilibrio, aunque mis propios instintos me llevaron a depender mucho menos en contar y más en confiar. Las estadísticas en gráficos, tablas y cuadros se pueden usar para probar casi cualquier cosa en los negocios, pero los valores no calificables pueden permanecer firmes como roca.

Durante mi segundo año en la Universidad de Princeton, en 1948, esa lección comenzó a fijarse en mi cerebro. Fue ahí donde comenzó mi interés por la Economía, al estudiar la primera edición de Paul Samuelson, *Economics: An Introductory Analysis*. En ese entonces, la economía era altamente conceptual y tradicional. Nuestro estudio cubría la teoría económica y a los filósofos mundanos del Siglo XVIII como Adam Smith, John Stuart Mill, John Maynard Keynes y similares. El análisis cuantitativo, según los estándares de hoy, brillaba por su ausencia. Mi recuerdo es que el cálculo ni siquiera era una asignatura requerida. (Desde luego, los "matemáticos", aquellos estrategas de cálculo que han inundado el sector financiero en las últimas décadas, y cuyo registro de seguimientos en la reciente recesión del mercado ha sido muy errático, todavía no habían ingresado a la industria).

No sé si darle crédito o culpar a la primera calculadora electrónica por dar inicio al cambio abismal en el estudio de cómo funcionan las economías y los mercados. Pero con la llegada de la increíblemente poderosa computadora personal de la actualidad y el comienzo de la Era de la Información, la aritmética hoy está en la silla, montando la economía. El excelente consejo de Einstein parece haber sido olvidado hace mucho tiempo: si no puedes contarlo, parece que no importa.

No estoy de acuerdo con ese silogismo. Sin duda creo firmemente que asumir que lo que no tiene medida no es muy importante, es equivalente a la ceguera. Pero antes de meterme en las dificultades de medir, por no decir tratar de medir lo inmensurable —elementos como la confianza, la sabiduría, el carácter, los valores éticos y los corazones y las almas de los seres humanos que juegan un papel principal en toda actividad económica—, quiero discutir las falacias de algunas de las medidas populares de la actualidad y los problemas que el gobierno, las finanzas y los negocios han creado para los inversionistas y la sociedad contemporánea.

Hoy en día, en nuestra sociedad, en la economía y en las finanzas, depositamos mucha confianza en los números. *Los números no son la realidad.* En el mejor de los casos son un pálido reflejo de ella. En el peor de los casos, son una desagradable distorsión de las verdades que buscamos medir. Pero el daño no se detiene ahí. No sólo confiamos mucho en los datos históricos económicos y del mercado, nuestra parcialidad optimista también nos conduce a interpretar equivocadamente la información y darle el crédito que pocas veces merece. Al adorar en el altar de los números y hacer a un lado lo inmensurable, hemos creado una economía numérica que fácilmente puede socavar la real.

Gobierno: ajustando las cifras

Paradójicamente, muchas de las cifras que no podemos contar, las produce nuestro gobierno federal. Como lo señaló Kevin Phillips en su ensayo "Numbers Racket", publicado en la edición de mayo del 2008 de la revista *Harper's*, la información del gobierno nos está dirigiendo muy mal, incluyendo los números vitales que han llegado a ser esenciales para nuestro diálogo nacional, como nuestra producción nacional o el producto interno bruto (PIB), nuestra tasa de desempleo, y la tasa de inflación.

◇ Resulta que nuestro PIB incluye la llamada renta imputada, como el valor asumido de ingreso por vivir en nuestras nuevas casas, los beneficios de las cuentas de cheques gratuitas y el valor de las primas de seguros pagadas por los empleadores. Ese ingreso fantasma suma un total de $1,8 trillones de dólares (¡!) incluidos en nuestro PIB que es de $14 trillones.

◇ La oficina de Estadísticas Laborales informa con orgullo que nuestra tasa de desempleo de mediados del año 2008 es relativamente baja, 5,2% (aunque aumentó después de haber estado en 5,0% anteriormente en el año). Pero el número de desempleados no incluye a trabajadores tan desanimados como para buscar un empleo, los trabajadores de tiempo parcial que buscan empleos de tiempo completo, ni a quienes quieren un empleo pero no lo están buscando de forma activa, ni a quienes viven de los beneficios de discapacidad de la Seguridad Social. Si incluimos estas almas desempleadas, la tasa de desempleo casi que se duplica hasta el 9,0%.

◇ Las subestimaciones en el índice de precios al consumidor (IPC) son aún más atroces. Años atrás, el costo de vida fue modificado incluyendo en el mismo la "renta equivalente del propietario", lo cual redujo bruscamente la tasa de inflación reportada durante el reciente auge de vivienda. El concepto de productos sustitutos también se introdujo, lo cual en esencia significa que si una hamburguesa de primera calidad se hace muy costosa, la remplazamos por una de calidad más económica. Y (¡esto es muy cierto!) no contamos el aumento en costos atribuibles a la calidad aumentada ("ajustes hedonistas"). Es decir, si las tarifas aéreas se duplican pero el servicio de viajes se percibe como el doble de eficiente, el costo calculado de los viajes por avión permanece sin modificaciones.

Finanzas: atribuyéndole certidumbre a la Historia

Lo que contamos en el campo de las inversiones también tiene graves deficiencias. Se puede decir que el concepto de que las acciones ordinarias sean inversiones aceptables, en lugar de ser simples instrumentos especulativos, comenzó en 1925 con el libro de Edgar Lawrence Smith, *Common Stocks as Long-Term Investments*. Su más reciente encarnación llegó en 1994 con el libro de Jeremy Siegel, *Stocks for the Long Run*. Ambos libros exponen descaradamente el caso de los valores de renta variable y podría decirse que los dos ayudaron a alimentar los grandes mercados alcistas que se produjeron. Desde luego, y probablemente de forma inevitable, ambos precedieron los peores mercados bajistas de los últimos 100 años.

Ambos libros, también, estaban llenos de información, pero los datos aparentemente infinitos presentados en la versión de Siegel, fruto de esta era de cálculo efectuado por computadoras, deja en evidencia a su predecesor. Siegel estableció claramente que, durante 2 siglos de Historia, el rendimiento real de los mercados de valores de los Estados Unidos ha estado alrededor del 7% (aproximadamente un 10% en términos nominales, antes de la erosión de la inflación la cual ha promediado el 3%).

Pero el arsenal de información presentada en *Stocks for the Long Run* no es lo que me preocupa. ¿Quién puede oponerse al conocimiento? Como Sir Francis Bacon nos lo recordó: "El conocimiento es poder". Mi preocupación es que muchos de nosotros, de forma implícita, asumamos que la Historia del mercado se repite, cuando muy en el fondo sabemos que el único prisma válido para poder ver el futuro del mercado es el que no toma en cuenta la *Historia* sino las *fuentes* de las rentabilidades de las acciones, mencionadas en el capítulo 2.

Los expertos están equivocados... de nuevo

Que los expertos se equivoquen con tanta frecuencia parece ser una verdad tan evidente en sí misma que bien te puedes preguntar: ¿exactamente quién sería tan tonto como para proyectar utilidades futuras con tasas históricas del pasado? Pero los bosques están llenos de asesores de inversiones y analistas expertos que hacen exactamente eso. Mira la popularidad de moda de las llamadas simulaciones Monte Carlo. El problema con estas simulaciones, que en esencia calculan los rendimientos mensuales de las acciones lanzándolas dentro de una licuadora y fundiendo la aparentemente infinita serie de permutas y combinaciones en forma de probabilidades, es que al depender únicamente de rendimientos totales históricos para obtener sus cifras, ignoran las fuentes de esos rendimientos.

Sí, rendimientos especulativos basados en cambios en la cantidad de dólares que los inversionistas están dispuestos a pagar por cada dólar de utilidades corporativas, a largo plazo, la proporción precio/utilidades (P/U), tiende a volver a la norma de cero. Sí, el crecimiento de las utilidades corporativas tiende a compararse con la tasa de crecimiento nominal de nuestra economía. (¡Ahí no hay sorpresas!). Pero no, el aporte de rendimientos de dividendos a las utilidades depende, no de normas históricas, sino del rendimiento de dividendos que *de verdad* existe en el momento de proyección de utilidades futuras. Con el rendimiento de dividendos en 2,3% en julio del 2008, ¿de qué sirven las estadísticas históricas que reflejan un rendimiento de dividendos que promediaba el 5%, (más del doble del rendimiento actual)? (Respuesta: de nada). Así que las expectativas razonables para las utilidades futuras reales en las acciones a comienzos del año 2008, deberían concentrarse alrededor del 5% y no en la norma histórica del 7%. ¿Qué podría ser más elemental que eso? Pero por lo general ese es el problema con los cálculos complejos: no son confiables para transmitir verdades simples.

Hasta los sofisticados ejecutivos corporativos y sus consultores de pensiones siguen el mismo curso defectuoso. Sin duda, un típico informe anual corporativo declaró expresamente que "nuestras suposiciones de utilidades sobre activos se desprenden de un detallado estudio adelantado por nuestros actuarios y nuestro grupo de administración de activos, y se *basan en utilidades históricas a largo plazo*". Asombrosa, pero naturalmente, esta política conduce a las corporaciones a incrementar sus expectativas futuras con cada aumento en utilidades pasadas, precisamente lo opuesto a lo que la razón sugiere de forma acertada.

Por ejemplo, en el comienzo del mercado alcista a principios de los años 80, las grandes corporaciones supusieron una utilidad futura en activos de pensión, es decir bonos y acciones, de un 7%. En el pico máximo del mercado a comienzos del año 2000, casi todas las firmas habían aumentado drásticamente sus suposiciones, en algunos casos hasta el 10% o más. Como las carteras de pensiones se equilibran entre valores de venta variables y bonos, implícitamente habían aumentado la utilidad anual esperada en las *acciones* de su cartera hasta un 15%, aunque parece un mal chiste que el posterior mercado bajista hubiera hecho esa misma suposición.

Si esos funcionarios financieros corporativos tan sólo hubieran apagado sus computadoras, (y las hubieran puesto a un lado de sus intrínsecos propios intereses por minimizar los aportes a aquellos planes de jubilación), y más bien hubieran leído a John Maynard Keyness, habrían sabido qué es lo que los números nunca les dirán: la burbuja creada por emociones como el optimismo, la exuberancia o la codicia, —todas envueltas en la expectativa del cambio de milenio, la fantástica promesa de la Era de la Información y de la Nueva Economía, las cuales habían alimentado el auge—, tenía que explotar. Y desde luego así fue, a finales de marzo del 2000, justo en el momento en el que aquellas prometedoras proyecciones de crecimiento del 10% se imprimían en atractivos reportes anuales.

Obviamente los inversionistas han sido sabios en trazar sus expectativas de utilidades futuras basados en las fuentes de utilidades actuales, en lugar de caer en la trampa de buscar utilidades pasadas para trazar su rumbo. El hecho de que el rendimiento de dividendos a comienzos del año 2000 fuera el más bajo de todos los tiempos, tan sólo el 1%, y que la proporción precio utilidad estuviera cerca de un máximo registro de 32 veces las ganancias juntas, explica por qué la utilidad promedio de las acciones de esta década corre a una tasa anual de menos del 1% en el presente. Si el mercado permanece donde está hoy, al cierre del año 2009, las utilidades de la década serán las segundas más bajas de una década completa en la Historia. (En los años 30, la utilidad anual de S&P 500 Index promedió el 0,0%).

Negocios: el sesgo hacia el optimismo

Pero no son sólo nuestros mercados de capital los que se han corrompido con los peligros de confiar tanto en la aparente seguridad de los números. Nuestras empresas, también tienen mucho que responder y sin duda las consecuencias económicas de administrar corporaciones guiándonos por los números son extensas y profundas.

El terrible registro de ruta de los directores ejecutivos que presiden el crecimiento de sus firmas es un hecho bien establecido. Pero sus sesgos hacia el optimismo, y el uso que les dan (o más bien, abuso) a los números para respaldar sus suposiciones optimistas, por lo menos tiene la excusa del interés personal. Se supone que los analistas de seguridad tienen una perspectiva mucho más objetiva respecto a esos números, pero una y otra vez, sin sentido crítico, se ponen lentes color de rosa y se van con la corriente.

Con la guía de ganancias de las corporaciones que cubren, durante las últimas 2 décadas los analistas de seguridad de Wall Street de forma regular han estimado un crecimiento de utilidades futuras en un promedio de 5 años. En promedio, las proyecciones de crecimiento anual fueron de 11,5%. Pero como grupo estas firmas solamente alcanzaron sus objetivos de utilidad únicamente en tres de los 20 periodos de 5 años seguidos posteriores[2]. Y el crecimiento real de las utilidades de estas corporaciones ha tenido un promedio de sólo la mitad de la proyección inicial, sólo el 6%.

¿Pero cómo podría sorprendernos esta brecha entre la dirección y el resultado? Las utilidades agregadas de nuestras corpo-

2. Datos de predicciones de utilidades tomados de Morgan Stanley 1981-2001, a partir de ahí los estimados son del autor.

raciones están estrechamente vinculadas, sin duda casi hombro con hombro, con el crecimiento de nuestra economía. Ha sido un año extraño en el que las utilidades corporativas totalizaron menos del 4,5% del producto interno bruto de los Estados Unidos (PIB), y las utilidades en muy pocos casos alcanzaron el 9%. Sin duda, desde 1929 las utilidades después de impuestos han crecido a una tasa promedio de 5,6% anual, estando por debajo del 6,6% de la tasa de crecimiento del PIB[3]. En una economía capitalista de sálvese quien pueda, en la que la competencia es vigorosa y en gran medida sin restricciones, y en la que el consumidor es rey, ¿cómo podrían crecer *de alguna manera* las utilidades de las empresas estadounidenses a un ritmo más rápido que nuestro PIB?

Nuestra parcialidad optimista también ha conducido a otra seria debilidad. En una tendencia que ha atraído muy poca atención, hemos cambiado la definición misma de utilidades. Aunque las utilidades reportadas a los accionistas bajo los principios contables generalmente aceptados (PCGA) han sido la norma desde que Standard & Poor comenzó a reunir información años atrás, en años recientes la norma ha cambiado a utilidades *operacionales*.

Las utilidades operacionales, en esencia, son utilidades registradas despojadas de todos los confusos cargos como revaluaciones de inventario y amortizaciones de capital, lo cual usualmente termina en inversiones equivocadas y fusiones de años previos. Son consideradas no recurrentes, aunque para las corporaciones como grupo sí recurren, año tras año, con notoria consistencia. Para el registro, las utilidades reportadas para S&P 500 Index durante la última década, han promediado los $51 dólares por acción, mientras que las utilidades operacionales promediaron en $61dólares por acción. El número ilusorio que fácilmente podríamos contar fue 20% mayor que el número real en el que realmente podríamos confiar.

---

3. Las tasas de utilidades y de PIB son cálculos del autor usando datos del Bureau of Economic Analysis.

Es más, ahora tenemos utilidades pro forma, una fórmula terrible que hace un nuevo uso (o de nuevo, abuso) de un término que una vez fue respetable, las cuales reportan resultados netos corporativos de desagradables desarrollos. Tales cálculos, considerados como "algo que no está mal", son un paso más en la dirección errada. Hasta las utilidades certificadas por auditores han llegado a ser dudosas pues la cantidad de correcciones sobre las utilidades corporativas ha aumentado casi 18 veces, de 90 en 1997 a 1.577 en 2006. ¿Parece eso un minucioso informe financiero corporativo? Difícilmente. Sin duda, parece precisamente lo opuesto.

Unos estándares contables flojos (por ejemplo, una mala *contabilidad*) han hecho posible el crear, de la nada, lo que se consideran utilidades. Un método popular es hacer una compra y luego asumir grandes gastos descritos como no recurrentes, sólo para reversarlos en años posteriores cuando sea necesario reforzar algunos estados de resultados flojos. Pero el desglose en nuestros estándares contables va más allá de eso: clasificando arrogantemente muchos artículos como inmateriales, exagerando las supuestas utilidades futuras de planes de pensión, contando como ventas las compras realizadas por clientes con créditos otorgados por el vendedor, haciendo promociones especiales para forzar ventas adicionales al final de los trimestres y cosas por el estilo. Si no puedes combinar tu camino para alcanzar los números, simplemente cambia los números. Pero lo que vagamente describimos como contabilidad *creativa* es sólo un pequeño paso alejándonos de la contabilidad *deshonesta*.

Las consecuencias de la contabilidad en la vida real

Cuando nuestro gobierno en realidad crea los libros según los cuales pesamos la economía, cuando nuestras instituciones financieras le atribuyen credibilidad a la Historia y cuando nuestras empresas practican un optimismo caprichoso y con intereses propios, las olas se extienden mucho más allá de desafortunadas abstracciones numéricas. Estas deficiencias profundamente engranadas tienen implicaciones en la sociedad y la mayoría de ellas son negativas.

Por ejemplo, cuando los inversionistas acepten utilidades del mercado de valores como si se derivaran de un tipo de tabla actuaria, no estarán preparados para los riesgos que surjan de la inevitable variabilidad de los rendimientos de inversiones y la incertidumbre de las utilidades especulativas. Como consecuencia, son aptos para tomar decisiones equivocadas en la asignación de activos bajo la coacción o la exuberancia del momento. Los planes de pensión que cometan este error tendrán que aumentar sus fondos cuando la realidad intervenga. Cuando los inversionistas fundamentan sus planes de jubilación en realmente alcanzar cualquier utilidad proporcionada por los mercados financieros en el pasado, e ignoran tácitamente la impresionante cantidad de víctimas cobradas por los costos de intermediación e impuestos (sin mencionar la inflación), ahorran una porción patéticamente pequeña de lo que deberían estar ahorrando para asegurar una cómoda jubilación.

Otro ejemplo de consecuencias de la vida real: en esencia, nuestro sistema financiero ha retado a nuestras corporaciones a que generen un crecimiento de utilidades que en realidad es insostenible. Cuando las corporaciones no alcanzan sus objetivos numéricos siguiendo el camino difícil, es decir, a largo plazo, aumentando la productividad, mejorando viejos productos y creando otros nuevos, prestando servicios de una manera más amigable, a tiempo y más eficiente, y retando al personal de la organización a trabajar juntos de una manera más efectiva (la cual es la manera como nuestras mejores corporaciones alcanzan el éxito), se ven obligadas a hacerlo de otras formas: formas que por lo general te restan valor a ti, a mí y a la sociedad.

Las finanzas marcan el ritmo de los negocios

Una de estas formas, desde luego, es una estrategia agresiva de fusiones y adquisiciones. Aun haciendo a un lado el hecho de que por lo general la mayoría de fusiones no alcanzan sus metas, las compañías que siguieron estas estrategias fueron bien descritas en un artículo de opinión, publicado en *The New York Times* en el año 2002, como "adquirientes en serie cuyo deslumbrante número de acuerdos hace que sea fácil esconder la falta de administración exitosa a largo plazo"[4]. Tyco International, uno de los ejemplos más notorios de la Era Moderna, adquirió 700 compañías antes que llegara el día de ajustar cuentas. Pero el resultado financiero de la estrategia, según lo explicó el artículo de *The New York Times*, estaba casi preestablecido. "Sus imperios de números exagerados pueden deshacerse rápidamente con el comportamiento del mercado".

Gran parte de esta actividad de fusiones ha llegado al nivel de lo absurdo. Michael Kinsley, escribiendo en *The New York Times* en mayo del 2007, observó que en 1946, Warren Avis tuvo una idea.[5] Fundó Avis Airlines Rent-a-Car. Después de 2 años Avis le vendió la empresa a otro empresario, quien se la vendió a una empresa llamada Amoskeag, la cual la vendió a Lazard Freres, la cual se la vendió al gigantesco conglomerado ITT Corporation (¡todo esto sucedió hasta 1965!). En total, Avis ha pasado por 18 diferentes propietarios, y cada vez, anota Kinsley, "han habido honorarios para banqueros y abogados, bonos para los altos ejecutivos (para pagarles por el anterior o contratarlos para el próximo), y teorías acerca de por qué esto era exactamente lo que la compañía necesitaba".

Desde entonces (es una larga historia), Avis ha cotizado en bolsa, luego volvió a pertenecer a un conglomerado, (Norton Simon, Esmark, Neatrice Foods); luego fue vendida a Wesray Capital, quien vendió la mitad de la empresa a PHH Group y la otra mitad se la vendió a los empleados de Avis, quienes a su vez la vendieron a una firma llamada HFS Corporation, la cual la puso a cotizar en bolsa, después de lo cual Avis compró, sí, a

4. Jeffrey Sonnenfeld, "Expandiéndose sin administración", *New York Times*, junio 12, 2002, A29.
5. Michael Kinsley, "Nos esforzamos (¿pero para qué?)", *New York Times* mayo 16, 2007, A19.

PHH, la empresa combinada luego fue adquirida por Cedant. ¡Vaya!

Kinsley lo resume bien: "El capitalismo moderno tiene dos partes: los negocios y las finanzas. Negocio es rentarte un auto en el aeropuerto. Finanzas es otra cosa". Lo que hoy en día llamamos negocios es en gran parte finanzas. (Sombras de Minsky, a quien ya conocimos). Me atrevo a sugerir que los financistas que jugaron todos esos juegos de intercambio con la creación de Warren Avis, obtuvieron mucho más dinero en la negociación que el que ese complejo laberinto de transacciones generaba a cuentagotas para los accionistas, quienes, desde luego, son los dueños de la empresa.

"Piedra, papel o tijeras"

La saga de Avis es un irresistible ejemplo del hecho de que muchas llamadas compañías industriales se han convertido en compañías financieras, compañías que *cuentan* y no que *hacen*. (Prueba de ello es que el asesor del director ejecutivo es casi siempre el jefe de finanzas, al cual la comunidad inversionista suele ver como una eminencia gris). Tales empresas, citando de nuevo el artículo de Kinsley en *The New York Times*, "basan sus estrategias no en entender el negocio al que ingresan, sino que asumen que con estar buscando buenas ofertas pueden asignar sus recursos financieros mejor que los mercados financieros existentes".

Probablemente recuerdes el juego de niños en el que la piedra rompe las tijeras, las tijeras cortan el papel y el papel cubre la roca. En manías, como lo dije en mi libro *The Battle for the Soul of Capitalism*, cuando los precios pierden contacto con los valores, sin duda el papel cubre la roca. Las empresas de "papel" que *cuentan* han comprado compañías "piedra" que *hacen*, y los resultados han sido devastadores. Cuando menciono las fusiones de America Online (AOL) con Time Warner, de Quest Communications con U.S. West, y WorldCom con MCI, no tengo que decirte cuál era papel y cuál piedra. Estos son unos de los ejemplos más agudos de un fenómeno en el que muchas adquisiciones corporativas de empresas que en algún momento fueron piedras en sus industrias han caído en tiempos peligrosos, con cientos de miles de leales empleados de largo plazo que pierden sus empleos y ven cómo se reducen sus ahorros de jubilación sin ninguna misericordia.

Dándole una oportunidad al buen juicio

Para no ser acusado de incompetente, por favor comprende que no estoy diciendo que los números no importan. Los estándares de medición, *el cálculo* si así lo quieres, son esenciales para comunicar metas y logros financieros. Eso lo sé. Pero para permanecer durante 4 décadas he estado comprometido con desarrollar una empresa y una institución financiera basado mucho más en la coherente aplicación de unas pocas ideas de inversión con sentido común, y en un bien informado sentido de valores humanos y estándares éticos, y en los lazos de confianza entre nuestra firma y sus clientes. Hicimos lo mejor que pudimos para evitar medir con metas cuantitativas y logros estadísticos. La participación de mercado de Vanguard, como lo he dicho incontables veces, debe ser una *medida*, no un *objetivo*, debe *ganarse* no *comprarse*. Pero el hecho es que durante los últimos 28 años, nuestra participación en el mercado de activos de la industria de fondos ha aumentado sin interrupción.

Nuestra estrategia surgió de la convicción de que el mejor crecimiento corporativo viene de poner el caballo de hacer las cosas para los clientes, delante del carruaje de objetivos de utilidades. *El crecimiento debe ser orgánico en lugar de forzado.* Desde luego que ninguna compañía, y definitivamente ninguna tan grande como lo es Vanguard en la actualidad, puede ignorar por completo los números, pero con frecuencia he visto los extremos en el estilo de administración entre empresas que *confían* y empresas que *cuentan*, y espero fervientemente que cualquiera que haya trabajado para Vanguard incluya a nuestra empresa entre las primeras. Por mi parte, he tratado de reforzar el punto a lo largo de las décadas con un aforismo que he visto publicado en infinidad de escritorios por todas partes de las que ahora parecen ser incontables instalaciones de nuestra compañía:

"Por el amor de Dios, mantengamos siempre a Vanguard como un sitio en el que el buen juicio por lo menos tenga una oportunidad de luchar para triunfar sobre el proceso".

El espíritu de confianza

Mi fe en la confianza vuelve a la Regla de Oro. Después de todo, en la Biblia se nos implora que amemos a nuestro prójimo y no que cuantifiquemos su carácter y que hagamos con los demás como quisiéramos que ellos hicieran con nosotros, no tratarlos de la misma manera como ellos nos han tratado a nosotros. En Vanguard, nuestro propio santo patrón, el gran héroe naval británico, Lord Horatio Nelson, Capitán del *HMS Vanguard* e inigualable formador de hombres, reafirma esta Regla de Oro. Así es como Nelson fue descrito en un sermón que mi esposa, Eve y yo escuchamos en la Catedral del San Pablo en Londres, el 23 de octubre del 2005, durante el aniversario número 200 de su muerte en la batalla de Trafalgar:

Es cierto que Nelson fue un profesional consumado y un administrador muy esforzado… pero en momentos de decisión, los líderes necesitan entrar en contacto con convicciones fundamentales y con un sentido del deber que surgen de profundizar dentro de sí mismos. Esta es la fuente de una autoconfianza saludable y la habilidad de dominar el temor y animar a otros en medio de las circunstancias más extremas. Cualquier sistema educativo que espere producir líderes y seguidores efectivos, debe tomar muy en serio la formación de estas convicciones fundamentales.

Sin embargo vivimos tiempos extraños en los que la tabla periódica y cualquier otra cosa que pueda cuantificarse y ser reducida a un principio matemático es considerada una descripción precisa de la realidad, pero las bienaventuranzas y enseñanzas de las tradiciones de sabiduría del mundo son vistas como poco más que opiniones debatibles de sabios ya muertos.

El sentido de deber personal e individual de Nelson se desarrolló en medio de una tradición que también concibe el crecimiento en la vida espiritual como crecimiento en amor hacia el prójimo. Nelson no escatimó dolores para estar al lado y servir a sus compañeros de tripulación. Demostró una contagiosa confianza en los demás, la cual sacaba lo mejor de ellos y los comprometía no sólo con la persona de Nelson sino que los involucraba en la causa en la que él creía... una fe en confiar en los demás de tal forma que los ayudara a ser confiables.[6]

¿Medir primero, juzgar después?

¿Entonces, qué se debe hacer ante este aparente triunfo de los números sobre la confianza? Por una buena cantidad de respuestas me vuelvo a David Boyle, crítico social inglés y autor de *The Sum of Our Discontent:*

Vivimos en una época en la que los números y los cálculos abruman por completo la vida, y cada vez más todos somos controlados por 'objetivos...'. Lo aterrador es que, sólo porque las computadoras puedan contar y medir casi cualquier cosa, entonces nosotros lo hacemos. Hubo un tiempo en el que podíamos confiar en nuestro propio juicio, sentido común e intuición para saber si estábamos enfermos o no. Ahora estamos en riesgo de no poder hacer nada sin antes ser medidos. Los números y las medidas son tan vulnerables como 'Las nuevas ropas del Emperador' ante la incisiva e intuitiva pregunta humana. Cuanto más cerca cualquiera de nosotros está de medir aquello que realmente

---

6. Tomado del sermón del Obispo de Londres en la conmemoración del aniversario 200 de la batalla de Trafalgar, octubre 24, 2005. Disponible en www.stpauls.co.uk/page .aspx?theLang=001lngdef&pointerid=754804RF

importa, más se escapa de nosotros, pero podemos reconocerlo, a veces en un instante. Probablemente la mejor esperanza para todos nosotros sea depender un poco más en ese instante, y en nuestra habilidad de captarlo.[7]

Pero los críticos sociales no son los únicos que reconocen que el cálculo debe jugar un papel secundario en el ejercicio de la confianza. Escucha al ejemplar líder de negocios Bill George, ex-Director de la pionera tecnología médica Medtronic: "La confianza lo es todo, porque el éxito depende de la confianza de los clientes en los productos que compran, la confianza de los empleados en sus líderes, la confianza de los inversionistas en quienes invierten por ellos y la confianza del público en el capitalismo... Si no tienes integridad, nadie confiará en ti, ni deberían hacerlo".[8]

Un ejercicio vacío

Por favor no me malinterpretes. Honro y respeto la Contabilidad. Nadie entiende mejor que yo que las empresas son exigentes y competitivas, y que muchas, sin duda la mayoría, tienen vidas que, según la famosa frase de Thomas Hobbes, son "solitarias, pobres, desagradables, brutales y cortas". Debemos competir o morir. Bajo tales circunstancias no tenemos otra alternativa que construir metas objetivas y medibles y rendir cuentas por sus logros. Pero también reconozco la profunda sabiduría que se necesita para entender que, sin confianza, el cálculo, en el mejor de los casos, es un ejercicio vacío, y en el peor de los casos un ejercicio muy peligroso.

Ya sea que estés o no de acuerdo conmigo, yo por lo menos soy consistente. En 1972, hace casi 40 años, terminé mi mensaje anual hacia los empleados de Wellington Management Company (la cual dirigía en ese entonces) con esta cita de Daniel

---

7. David Boyle, "La Tiranía de los Números" (conferencia para la Sociedad Real de Artes en Gateshead, Reino Unido, octubre 18, 2001).
8. Bill George, True North (San Francisco: Jossey-Bass, 2007).

Yankelovich, respecto a darles demasiado crédito a los números contables:[9]

> *El primer paso es medir lo que es fácilmente medible. Esto está bien mientras funcione. El segundo paso es pasar por alto lo que no se puede medir, o darle un valor arbitrariamente cuantitativo.*
>
> *Esto es artificial e induce al error. El tercer paso es asumir que lo que no se puede medir en realidad no es muy importante. Esto es ceguera. El cuarto paso es decir que lo que no se puede medir en realidad no existe. Esto es suicidio.*[10]

Estoy seguro de que en la actualidad esta cita es tan cierta como lo fue en ese entonces, y más relevante que nunca. Las organizaciones empresariales deben aprender que "no todo lo que se puede contar, cuenta". Pero hoy dependemos demasiado de los números y no lo suficiente en la confianza. Ya es hora, de hecho ya hace mucho tiempo, de alcanzar un balance más saludable entre estos dos.

9. Siendo el fundador de la primera firma de investigación de mercados de su época, el graduado de Harvard, Yankelovich, conocía mejor que la mayoría los usos y los abusos de la contabilidad.
10. Daniel Yankelovich, citado por Adam Smith (George J. W. Goodman), *Supermoney* (New York: Random House, 1972).

CAPÍTULO 5

Demasiada conducta empresarial, poca conducta profesional

La mutación gradual de nuestras asociaciones profesionales a empresas de negocios se encuentra entre las más obvias y preocupantes manifestaciones de cambio de los tradicionales valores austeros de antaño a los flexibles valores de nuestra Era Moderna, con su gran cantidad de medidas numéricas y su amplia ausencia de medidas de valores morales. Así como el poder corrompe, el dinero también corrompe el buen funcionamiento de nuestra agenda nacional.

Pero no siempre fue así. Hace sólo un poco más de 40 años, *Daedalus*, el venerable y prestigioso diario de la Academia de Artes y Ciencias de los Estados Unidos, declaró con orgullo:

"Por todas partes de la vida estadounidense, las profesiones son triunfantes".

Pero cuando *Daedalus* retomó el tema en su edición de verano del 2005, el ensayo principal encontró que el triunfo había tenido una vida corta. "Nuestras profesiones gradualmente han sido sometidas a todo un nuevo conjunto de presiones, desde el creciente alcance de nuevas tecnologías hasta la creciente importancia de ganar dinero". La idea de tener una vocación, decía el ensayo, "está siendo socavada por potentes fuerzas del mercado que cada vez más han dificultado identificar en qué se diferencian los profesionales de los que no lo son, pero que tienen en su mayoría el poder y los recursos en la sociedad".

Comencemos considerando lo que queremos decir cuando hablamos de profesiones y profesionales. El artículo de *Daedalus*[11] definió lo que es una profesión mediante las siguientes características:

1. Un compromiso con el interés de clientes en particular y el bienestar de la sociedad en general.

2. Una recopilación de teoría o conocimientos especiales.

3. Un conjunto especializado de destrezas, prácticas y preferencias profesionales únicas para la profesión.

4. La capacidad desarrollada de emitir juicios con integridad bajo condiciones de incertidumbre ética.

5. Un método organizado para aprender de la experiencia, tanto individual como colectivamente, y, en consecuencia, para generar nuevos conocimientos desde el contexto de la práctica.

6. El desarrollo de una comunidad profesional responsable por la vigilancia y supervisión de la calidad en la práctica y en los educadores profesionales.

Luego *Daedalus* añadió estas maravillosas palabras: "*La característica principal de cualquier profesión es servir con responsabilidad, desinteresadamente y con sabiduría…Y establecer una relación inherentemente ética entre los profesionales y la sociedad en general*".

---

11. Howard Gardner y Lee S. Shulman, "The Professions in America Today: Crucial but Fragile," *Daedalus* 134 (3) (Summer 2005).

Los tiempos han cambiado

Cuando pensamos en profesionales, la mayoría de nosotros probablemente comenzaría con médicos, abogados, maestros, ingenieros, arquitectos, contadores y clérigos. Creo que también podemos estar de acuerdo en que los periodistas y fideicomisarios del dinero de otros también son, por lo menos en términos ideales, profesionales. Pero, profesión tras profesión, los antiguos valores están siendo claramente socavados. La fuerza que impulsa esto, como en muchos casos, es nuestra sociedad básica, concentrada en nuestra capacidad de contar con precisión lo que no cuenta para nada. Las fuerzas de mercado desenfrenadas no sólo constituyen un fuerte reto a la confianza tradicional de la sociedad en nuestras profesiones, sino que, en algunos casos, estas fuerzas han abrumado por completo los estándares normativos de la conducta profesional desarrollados durante siglos.

Es triste decir que la industria de servicios financieros, incluyendo la industria de fondos colectivos a la que he dedicado toda mi carrera, parece estar mostrando el camino hacia el desarrollo de estas fuerzas funestas, como en muchos otros valores en deterioro que no nos generan beneficios. La que alguna vez fue una profesión en la cual el negocio era su subordinado, se ha convertido en un negocio en el que la conducta profesional es la subordinada.

El profesor de la Escuela de Negocios de Harvard, Rakesh Khurana, tenía razón cuando definió con estas palabras la conducta de un verdadero profesional: "Crearé valor para la sociedad en lugar de extraérselo". Una gran cantidad de miembros de nuestra economía hace exactamente eso: crean valor. El valor lo crean aquellas profesiones que anteriormente identifiqué, así como los fabricantes de bienes, los prestadores de servicios, los ingenieros, los constructores y más, pero no sólo el sector financiero.[12] Como aprendimos anteriormente, la administración de dinero le resta valor a las utilidades obtenidas por los negocios de nuestras empresas, y en el proceso de maximizar sus propios intereses comerciales, la industria parece haber perdido sus aspectos profesionales.

Es fácil encontrar otros ejemplos de las crudas consecuencias de este distanciamiento de la conducta profesional. En la contabilidad pública, las que una vez fueron nuestras Ocho Grandes empresas (ahora las Últimas Cuatro), poco a poco llegaron a prestar servicios de consultoría altamente rentables para sus clientes auditados, convirtiéndose en socios de administración, en lugar de evaluadores independientes y profesionales de principios contables generalmente aceptados (si se interpreta vagamente). El fracaso de Arthur Andersen en el 2003 y la rápida quiebra de su cliente Enron, fue un ejemplo más que dramático de las consecuencias de esta relación plagada de conflictos.

Esto difícilmente es una preocupación nueva para mí. He escrito mucho respecto a cómo el desequilibrio entre los valores empresariales y profesionales ha invadido el periodismo, donde vemos el creciente dominio del "Estado" (publicaciones) sobre la "Iglesia" (editoriales). En años recientes, los escándalos han alcanzado los niveles más respetados de la prensa, *The New York Times, Los Angeles Times* y *Washington Post*. La profesión de abogado, tampoco ha sido la excepción a esta tendencia. La ida a prisión de dos de los más prominentes abogados litigantes

---

12. Algunos economistas afirman que la economía sufre cuando se dan recompensas exageradas a aquellas personas cuyas utilidades vienen de la redistribución de riquezas en lugar de la creación de las mismas, ellos singularizan al gobierno, las leyes, y los servicios financieros, incluyendo a los corredores de bolsa y los administradores de dinero. Estos redistribuidores de riqueza se contrastan con los generadores de riqueza como los constructores, los fabricantes y los ingenieros. Pero, paradójicamente, entre los programas universitarios de ingeniería, el de mayor crecimiento en la actualidad no es el de ingeniería tradicional, aeronáutica, eléctrica, mecánica o similares, sino el de "ingeniería financiera", para quienes buscan trabajar como administradores de fondos de cobertura y "matemáticos" de Wall Street.

por cargos criminales es un perfecto ejemplo de cómo se han deteriorado los que una vez fueron altos principios de la práctica profesional de la abogacía, y de cómo la atracción del dinero ha opacado el prestigio de la reputación.

Una transición similar se ha presentado en la profesión médica, en la que las preocupaciones humanas del médico y las necesidades humanas del paciente se han visto opacadas por los intereses financieros del comercio: nuestro gigantesco complejo de hospitales de cuidado médico, las compañías de seguros, los fabricantes y vendedores de medicamentos y las organizaciones de cuidado de la salud (HMOs por su sigla en inglés).

Martillos y clavos

Las relaciones profesionales con los clientes cada vez más se han ido replanteando como relaciones de negocios con consumidores. En un mundo en el que cada usuario de servicios es visto como consumidor, cada proveedor de servicios se convierte en un vendedor. Dicho de otra forma, cuando el proveedor se convierte en un martillo, el cliente es visto como un clavo. Por favor no me consideres ingenuo. Soy completamente consciente de que cada profesión tiene elementos de negocio. Sin duda, si los rendimientos no superan los gastos, ninguna organización, ni siquiera las más nobles de las instituciones de fe, durarán por mucho tiempo. Pero a medida que muchos de los profesionales más orgullosos de nuestra nación cambian su equilibrio tradicional, alejándose del concepto de profesiones confiables sirviendo para los intereses de sus clientes y de la comunidad, para acercarse al de empresas comerciales en busca de ventajas competitivas, los perdedores serán los seres humanos que dependan de esos servicios.

Hace pocos años, el autor Roger Lowenstein hizo una observación similar, lamentando la pérdida de "rectitud calvinista"[13] que tenía sus raíces precisamente en "las nociones de integri-

13. Roger Lowenstein, "El Purista," *New York Times Magazine*, diciembre 28, 2003, 44.

dad, ética y lealtad inquebrantable hacia el cliente, que tenía el Viejo Mundo". "Las profesiones de los Estados Unidos", escribió, "han llegado a ser burdamente comerciales... con firmas de Contaduría que patrocinan torneos de golf", y, pudo haber añadido, administradores de fondos colectivos que no sólo hacen lo mismo sino que también adquieren derechos de nombre para estadios.[14] "La batalla por la independencia profesional", concluye, "nunca se ha ganado".

El capitalismo cambia sus valores

Nuestras empresas comerciales también se han alejado de los valores tradicionales del capitalismo. Los orígenes del capitalismo moderno, comenzando con la Revolución Industrial en Gran Bretaña a finales del Siglo XVIII, tienen que ver, sí, con el emprendimiento y la toma de riesgos, con aumento de capital, fuerte competencia, mercados libres y rendimientos de capital entregados a quienes ponen el capital. Pero el principio fundamental de confianza y confiabilidad era algo esencial para el funcionamiento efectivo del capitalismo inicial.

Esto no quiere decir que la larga historia del capitalismo no ha sido marcada por serios fracasos. Algunos fueron fracasos morales, como el vergonzoso tratamiento hacia los obreros, usualmente niños, en las fábricas de los primeros días. Otros fracasos incluyen la infracción de normas de competencia justa y abierta, ejemplificada en conglomerados petroleros y magnates ladrones de antaño. Pero, hacia el final del Siglo XX, otro fracaso se nos vino encima: la erosión de la estructura misma del capitalismo. No sólo la confianza y la confiabilidad habían llegado a jugar un papel menguante, sino que los propietarios

---

14. Los banqueros y los banqueros de inversión también han saltado al vagón. A mediados del 2008, el asediado Citigroup, aunque había registrado pérdidas durante el último año de $17 billones (sin mencionar un total de despidos de 28.000 empleados), afirmó enfáticamente su plan de comprar los derechos de nombre del nuevo parque de béisbol de los New York Mets, para que se llamara Citi Field. Precio: $400 millones.

de empresas fueron relegados a un papel secundario en el funcionamiento del sistema.

Propietarios, no agentes

Según como yo lo veo, hubo dos fuerzas importantes detrás de este desarrollo contraproducente: primero el cambio que he descrito como la mutación patológica del capitalismo de *propietarios* al capitalismo de *gerentes*. Nuestra vieja sociedad de propiedad, en la cual casi la totalidad de las acciones de nuestras corporaciones las conservaban directamente los accionistas, poco a poco perdió su influencia y efectividad. Desde 1950, la propiedad directa de acciones en Estados Unidos por parte de inversionistas individuales se ha desplomado del 92% al 26%, mientras que la propiedad indirecta por medio de inversionistas institucionales aumentó del 8% al 74%, una revolución virtual en la estructura de propiedad. Nuestra vieja sociedad de propiedad ya se ha ido y no volverá. En su lugar ahora tenemos una nueva sociedad de agencias en la que nuestros intermediarios financieros ahora tienen un control efectivo sobre la empresa estadounidense.

Pero estos nuevos *agentes* no se han comportado como deberían. Nuestras corporaciones, administradores de pensiones y administradores de fondos colectivos, con mucha frecuencia han antepuesto sus propios intereses financieros a los intereses de los *inversionistas* quienes tienen el deber de representar a esos 100 millones de familias que son las propietarias de fondos colectivos y los beneficiarios de nuestros planes de jubilación.

Aunque esta mutación en la estructura de propiedad explica gran parte del cambio en nuestro sistema de capitalismo, una segunda fuerza acentuó ampliamente el problema. Nuestros recién facultados agentes institucionales parecieron olvidar sus *principios* tradicionales de confiabilidad y administración prudente, pasando, como ya lo he mencionado, de la inversión a largo plazo a la especulación de corto plazo. Cuando los inversionistas se concentran, no en el valor intrínseco de la corporación, sino en el precio de sus acciones, la primera tragedia es asumir alguna responsabilidad en el gobierno corporativo. Por ejemplo, ¿por qué preocuparse por los votos por representación, si probablemente ni siquiera tengas las acciones el próximo año?

Adam Smith, cuya advertencia de hace más de 200 años parece haber sido ignorada, describió muy bien el resultado neto de este doble golpe:

> "Los administradores del dinero de otras personas (rara vez) lo cuidan con el mismo cuidado ansioso con el que... cuidan su propio dinero... muy fácilmente ellos se conceden exenciones. La negligencia y la liberalidad siempre prevalecerán".[15]

Así que actualmente la negligencia y la liberalidad han prevalecido entre nuestros directores corporativos y nuestros administradores de dinero, incluso al punto de casi hacer total caso omiso a su deber y responsabilidad para con los propietarios de corporaciones. Muy pocos parecen estar adecuadamente conscientes de la carencia de "cuidado responsable" sobre el dinero de otros, el cual alguna vez fue definido como conducta profesional. Parafraseando a Upton Sinclair: "Es asombroso lo difícil que es para un hombre entender algo si ha pagado una pequeña fortuna para *no* entenderlo".

Sueldo de director ejecutivo: ¿Cuánto es suficiente?

Incluso una "pequeña fortuna" puede ser una descripción inadecuada de lo que nuestras corporaciones ahora pagan a sus altos ejecutivos, impulsadas en parte por estos dos cambios, de propiedad del inversionista a propiedad de la agencia, y la posesión a corto plazo de acciones corporativas por parte de sus nuevos propietarios. Uno de los mayores factores diferenciadores entre los valores de empresas y profesionales es el rol del dinero. En los negocios, parece que no hay tal cosa como "sufi-

---

15. Adam Smith, *The Wealth of Nations*, 1776, disponible en internet en www.adamsmith.org/smith/won-intro.htm.

ciente", mientras que en las profesiones, el dinero, por lo menos en lo ideal, es subordinado de las normas éticas y el servicio a la sociedad en general.

Hoy, la compensación de nuestros líderes de negocios está por las nubes. Pero es difícil ver que los directores ejecutivos de nuestras grandes corporaciones, como grupo, hayan añadido mucho valor al crecimiento natural de nuestra economía. Mi propia conclusión sobre este tema también la expresé en mi libro *The Battle for the Soul of Capitalism:*

> *En 1980, el sueldo del director ejecutivo promedio era 40 veces el del trabajador promedio; para el año 2004 la proporción había aumentado a 280 veces el sueldo del trabajador promedio (habiendo estado en 531 veces al pico del año 2000). Durante el último cuarto de siglo, la remuneración de un director ejecutivo medida en dólares corrientes se incrementó casi 16 veces, mientras que la compensación del trabajador promedio apenas se duplicó. Pero medida en dólares reales de 1980, la remuneración del trabajador promedio creció sólo el 0,3% por año, apenas lo suficiente como para mantener su nivel de vida. Sin embargo la remuneración de los directores ejecutivos creció a una tasa del 8,5% anual, aumentado más de 7 veces en términos reales durante ese periodo. La explicación fue que esos ejecutivos habían "generado riquezas" para sus accionistas. Pero ¿estos directores ejecutivos verdaderamente estaban creando un valor proporcional al alto incremento en su remuneración? Definitivamente no los directores ejecutivos promedio. En términos reales, las ganancias globales de las empresas crecieron a una tasa anual de 2,9%, comparadas con el 3,1% de la economía nacional, representada en el Producto Interno Bruto. Una de las mayores anomalías de nuestra era es la manera como este desalentador desbalance puede llevar la remuneración de un director ejecutivo a unos atractivos $9,8 millones en el año 2004.[16]*

16. John Bogle, *The Battle for the Soul of Capitalism* (New Haven, CT: Yale University Press, 2005).

Incluso en la época reciente cuando los rendimientos de las acciones de muchas corporaciones han tenido poco progreso, y en muchos casos han retrocedido, la remuneración de los directores ejecutivos se ha sostenido en niveles realmente asombrosos,[17] ¿pero con qué justificación? Como lo mencioné anteriormente, a lo largo de los años las ganancias de nuestras corporaciones en general han generado una relativamente estable cuota del PIB, no es una cuota que pueda justificar parte del incremento en la remuneración de los directores ejecutivos, sin mencionar el aumento de 42 a 280 veces el salario del trabajador promedio de hace pocos años en 2004. Desde entonces, esa proporción ha vuelto a crecer a 520 veces, y la remuneración promedio de un director ejecutivo ha subido a la cifra mucho más atractiva de $18,8 millones, casi el doble del nivel de 2004.

Si los directores ejecutivos como grupo, están a un nivel promedio, y deben estarlo, ¿qué explica sus crecientes escalas de pago? Una razón es que su salario es simplemente parte de una tendencia en la que el pago de los miembros más talentosos y afortunados de una variedad de grupos, por ejemplo, estrellas de películas y de televisión, y jugadores profesionales de béisbol, baloncesto y fútbol, ha aumentado mucho más. Desde luego que estos famosos atletas y actores reciben fortunas. Pero directa o indirectamente reciben el pago de sus seguidores, y con frecuencia de los propietarios de equipos o canales que les pagan directamente de sus bolsillos y para sus propios intereses. (¡Los propietarios ganan mucho dinero con estas estrellas!) Es un trato que beneficia a ambas partes. Pero los directores ejecutivos reciben pagos que no provienen de los bolsillos de los directores sino con el dinero de otras personas, un claro ejemplo del problema de la agencia en nuestro sistema de inversiones y nuestra concentración en la conducta de negocios en lugar de la conducta profesional.

---

17. Cifras de salarios de directores ejecutivos actualizadas a partir de un estudio realizado por ERI Economic Research y *Wall Street Journal* y datos del Bureau of Labor Statistics, citado enwww.aflcio.org/corporatewatch/ paywatch/pay/index.cfm.

Una carencia de responsabilidad

La raíz del problema es que los accionistas corporativos han jugado un rol muy pequeño, si es que han jugado algún rol, en la asignación de pago a ejecutivos. Hace mucho tiempo, Benjamin Graham identificó con exactitud este problema.[18] Observó que en términos de derechos legales, "los accionistas como clase, son el rey. Actuando como mayoría, pueden contratar y despedir gerentes e inclinarlos completamente a su voluntad". Pero en términos de afirmación de estos derechos en la práctica, "los accionistas son un completo desastre... No muestran inteligencia ni atención...Y votan como ovejas por lo que sea que la gerencia recomiende, sin importar lo malo que haya sido el desempeño de la misma". Eso era cierto cuando él escribió estas palabras en 1949, y en la actualidad no es menos cierto.

Impulsados por la creciente carencia de responsabilidad de las juntas directivas ante los accionistas, este problema de agencia permea el gobierno corporativo en tres formas principales. Primero está la indiferencia de los administradores de dinero institucionales (los mismos que reciben altos salarios), quienes además ahora mantienen el control de la votación efectiva de la empresa estadounidense. Luego están los conflictos de interés que enfrentan estos gerentes, en los que sus intereses fiduciarios al representar a los accionistas de los fondos colectivos y a los beneficiarios de pensiones a quienes tienen la obligación de servir, parecen haber sido opacados por sus intereses financieros en reunir y administrar los activos de estos fondos colectivos y de pensiones.Y, finalmente, está el hecho de que la mayoría de accionistas institucionales ya no practican la inversión a largo plazo (lo cual, por lógica, exige la atención sobre los problemas de gobierno corporativo). En lugar de eso, se han vuelto a la especulación de corto plazo, en la que tienen acciones corporativas durante un año o menos en promedio (lo cual, por lógica, conduce a una indiferencia respecto a los problemas de gobierno).

---

18. Benjamin Graham, *The Intelligent Investor* (originalmente publicado 1949; New York: HarperCollins, 2005).

Un paso que puede mitigar estos tres problemas sería permitir votos sin compromiso por parte de los accionistas respecto a la remuneración de los ejecutivos. Los costos de implementación serían relativamente modestos y obligarían a los accionistas institucionales dueños de las empresas estadounidenses a actuar como responsables ciudadanos corporativos, para el beneficio de nuestra sociedad en general.

Valor intrínseco, no precio de la acción

No es de extrañar que los directores ejecutivos que dirigen empresas cuyas acciones han generado utilidades más altas hayan recibido mayor compensación de forma sistemática. Después de todo, dado el trascendental papel que juegan las opciones de acciones en los paquetes de compensación, sería poco menos que increíble que ese no fuera el caso. Pero no estoy de acuerdo con la fuerte dependencia en los precios de las acciones como la base principal para la remuneración de los directores ejecutivos. El precio momentáneo y de corto plazo de una acción, como ya lo sabemos, es tan ilusorio como preciso. El desempeño de un director ejecutivo debería basarse en la construcción a largo plazo de un valor intrínseco duradero, el cual es tan real como impreciso (¡Ahora, aquí hay una paradoja!).

Basar la remuneración en el aumento del valor intrínseco de la empresa, en lugar de los volátiles precios de las acciones, sería una mejor forma de recompensar a los ejecutivos por un desempeño duradero a largo plazo. Por ejemplo, la remuneración de un director ejecutivo debería basarse en el crecimiento de las utilidades corporativas, el flujo de caja de la empresa (aún mejor, pues es mucho más difícil de manipular), el crecimiento de dividendos (ídem), y el rendimiento del capital corporativo relativo a similares y a corporaciones como grupo (como por ejemplo el S&P 500). Tales mediciones deberían hacerse sólo durante un extenso periodo de tiempo. Es más, el pago de incentivos de un director ejecutivo debería estar sujeto a la superación de cierta tasa de corte, los cuales se ganarían sólo cuando los rendimientos de la firma superen el costo de capital de la misma. Seguro, estos estándares son retadores, pero lograr esos retos es de lo que realmente debería tratarse el éxito de la empresa.

Remuneración por desempeño, no según los pares corporativos

Gran parte de la responsabilidad por nuestro deficiente sistema de remuneración para directores ejecutivos es atribuible al aumento de consultores de remuneración. Primero debe ser claro que es muy probable que aquellos consultores de remuneración que consistentemente sugieren pagos más bajos o estándares más altos para los salarios de los directores ejecutivos, no conserven muchos clientes. Para empeorar las cosas, la conocida metodología de los consultores, la de agrupar los directores ejecutivos en conjuntos similares medidos por cuartiles, inevitablemente conduce a un efecto trinquete.

Creo que de forma correcta se ha observado que las juntas directivas usualmente se enamoran de sus directores ejecutivos (por lo menos hasta que sucede algo grave). Cuando una junta directiva ve que el salario de su propio director ejecutivo se encuentra en el cuartil inferior, se lo aumenta hasta, digamos, el segundo cuartil, lo cual, desde luego, pone a otro director ejecutivo en el cuartil inferior. Así que el ciclo se repite, hacia adelante y hacia arriba a lo largo de los años, casi siempre estimulado por el consultor aparentemente imparcial (quien desde luego se gana la vida no recomendando menos sino recomendando más).

Tal metodología es en esencia defectuosa y tiene un efecto obvio: las cifras de estas cuadrículas de remuneración casi siempre se incrementan para el grupo de iguales, y casi nunca bajan. Warren Buffet mordazmente describe a la típica firma consultora, llamándola irónicamente, "matraca, matraca y bingo". Hasta que les paguemos a los directores ejecutivos de acuerdo con su *desempeño* corporativo, en lugar de hacerlo según los *pares* corporativos, el pago de los directores ejecutivos, casi inevitablemente, seguirá su camino ascendente.

Por último, la remuneración del director ejecutivo debería tener un componente contingente. El pago incentivo debería diferirse durante un extenso periodo de años y las opciones de acciones también deberían trazarse por etapas, por ejemplo, 50% ejercitable a la fecha del primer periodo, con 10% anual ejercitable durante los siguientes 5 años. También debería haber provisiones de recuperación bajo las cuales la compensación de incentivos se devuelva a la compañía cuando las utilidades tiendan a la baja. Si los directores ejecutivos han de exponer sus corporaciones a estrategias agresivas y altos riesgos a fin de ganar una máxima compensación, ya sea que se basen en el valor intrínseco del accionista o en el precio de las acciones, entonces cuando estas estrategias fallen, el valor de los accionistas colapse y los riesgos se hagan realidad (como se ha evidenciado de forma trágica en la actual crisis financiera), a los ejecutivos se les debería exigir que ayuden con las abundantes recompensas que inicialmente recibieron.

Directores y principios

Hacer volver la conducta profesional a un papel más importante en asuntos de negocios no será una tarea fácil. Curiosamente, una manera de alcanzar esta meta la sugirió una correspondencia que llegó a mi escritorio con un error tipográfico que no pude ignorar. Enviada por Center for Corporate Excellence anunciando que General Electric recibiría el premio a "La excelencia a largo plazo en gobierno corporativo", el volante citaba al Presidente de GE, Jeffrey Immelt refiriéndose a la importancia de tener "*principales* sólidos de gobierno corporativo".

"Evidentemente, la cita debía decir *principios*, y no *principales*. Pero mientras pensaba en el error, me pareció casi profético.

Después de todo, no importa cuán fuertes sean los *principios* éticos del mundo de los negocios, ¿de qué sirven sin *directores principales* éticos que los honren? Las empresas estadounidenses tienen una extrema necesidad de más líderes que asuman la responsabilidad de asegurar que estos principios éticos impregnen y dominen la cultura de nuestro mundo empresarial.

Todos podemos estar de acuerdo, estoy seguro, en un conjunto básico de principios éticos que deberían guiar los negocios y a sus líderes hacia los estándares profesionales tradicionales. Sin duda, prácticamente todas nuestras grandes corporaciones que cotizan en bolsa ya tienen códigos de conducta ética publicados para que todo el mundo los vea, diciendo que están de acuerdo con elevados ideales. Pero también hemos presenciado demasiados ejemplos en los que estos estándares han sido ignorados por la misma gerencia que presume de ellos, a fin de alcanzar sus ambiciosas metas, las cuales suelen ser demasiado ambiciosas en el crecimiento de los ingresos corporativos y las utilidades.

Nuestros directores corporativos también dicen estar de acuerdo con representar responsablemente a los accionistas de las compañías por quienes votan sus apoderados. ¿Cómo podrían decir otra cosa? Pero preservar, proteger y defender los recursos de la corporación con los intereses de sus propietarios como la prioridad más importante, parece ser la excepción más que la regla. Aunque el director ejecutivo es el empleado principal de la corporación, sigue siendo un empleado responsable ante los propietarios por medio de la junta directiva, pero pocos son los directores ejecutivos que se ven de esa manera. En lugar de eso, el paradigma son los directores ejecutivos imperiales que se ven a sí mismos como los únicos responsables de la creación de valor para los accionistas, olvidando el inmenso aporte que hacen los millones de empleados que se comprometen con la tarea de generar valor corporativo cada día, y peor, reciben pagos como si sus aportes fueran mínimos.

Vemos que las corporaciones predican la llamada puntuación equilibrada que invita al trato justo con los otros grupos de la corporación, clientes, empleados, proveedores, la comunidad local, el gobierno y el público en general. Pero los periódicos están llenos, al parecer a diario, de historias de empresas que han ido exactamente en la dirección opuesta. ¿Y qué de la integridad de los estados financieros de la firma, o la verdadera independencia del auditor independiente que da fe del cumplimiento con los principios contables generalmente aceptados? No es de extrañar que la maravilla de la ingeniería de nuestra época sea la *ingeniería financiera*.

¿Estoy diciendo que nuestros *principales* directivos de la actualidad son menos éticos que sus predecesores? No, no necesariamente. Pero sí estoy diciendo que nuestros *principios* se han visto comprometidos. No hace muchas décadas que los estándares en la conducta de los negocios eran próximos a ser absolutos:

"Hay algunas cosas que sencillamente no se hacen".

Pero hoy ponemos nuestra dependencia en estándares relativos:

"Todo el mundo lo hace, así que yo también puedo hacerlo".

Nuestra sociedad no puede, y no debería, tolerar la sustitución de cierta forma de absolutismo moral por el relativismo moral y su degradación en los estándares éticos del comercio.

"Sólo los capitalistas pueden acabar con el capitalismo"

Nosotros, los que somos, o hemos sido directores en el mundo de los negocios, tenemos la gran obligación de no sólo establecer principios firmes modelados a la par con los lineamientos profesionales de nuestras firmas y colegas, sino también de preservar, proteger y defender esos principios. Cuando no lo hacemos, ya que usualmente lo hacemos tarde, el cinismo se extiende ampliamente en la sociedad y se magnifican los problemas sociales. No puedo exponer los argumentos mejor que Felix Rohatyn, el muy respetado ex-Director General de Lazard Freres, en *Wall Street Journal* hace algunos años:

> *Soy un estadounidense y un capitalista y creo que el mercado del capitalismo es el mejor sistema económico jamás inventado. Pero debe ser justo, debe ser regulado, debe ser ético. Los últimos años han demostrado que se pueden presentar excesos cuando se abusa del capitalismo financiero y la tecnología moderna para servir a la pura codicia. Sólo los capitalistas pueden terminar con el capitalismo, pero nuestro sistema no puede soportar más abuso de los que hemos visto recientemente, ni tampoco puede soportar más de la polarización financiera y social que vemos en la actualidad.*[19]

Ahora vemos en nuestras corporaciones y mercados financieros el resultado de la victoria de los estándares de negocios por encima de los estándares profesionales, demasiado del primero y no lo suficiente del último. Ahora, no podemos negar, no deberíamos hacerlo, que el principal requisito de cualquier empresa es obtener utilidades. Pero podemos exigir que una empresa desempeñe sus actividades con profesionalismo ético. Nuestra sociedad tiene una gran participación en la lucha por volver a los valores profesionales que tan sólo 40 años atrás gobernaban triunfantemente en esta nación.

---

19. Felix Rohatyn, "Libre, rico y justo", *Wall Street Journal*, noviembre 11, 2003, A 18.

—CAPÍTULO 6—

Demasiadas habilidades de venta, pocas habilidades de administración

E s especialmente doloroso para mí reconocer que la industria de los fondos colectivos en muchos aspectos es ejemplo del deterioro en los valores empresariales y de inversión que acabo de describir. Así que permíteme volver aquí a la industria misma a la que ingresé en 1951 y en la cual he servido desde entonces para hablar sobre los grandes cambios que se han extendido a través de la misma durante más de medio siglo. Primero describamos estos cambios, los cuales en conjunto han inclinado la balanza, alejándola de la administración de antaño llevándola hacia la fuerza de ventas que claramente caracteriza a la industria de la actualidad.

El cambio más obvio es que la industria de fondos ha gozado de un gran crecimiento. Habiendo sido un enano, ahora es un gigante. En 1951 los activos de los fondos colectivos sumaban $2 billones de dólares.[20] Hoy, los activos en total son de más de $12 *trillones*, un asombroso 17% en promedio de tasa de crecimiento anual durante más de medio siglo, una tasa que pocas industrias han superado, si es que alguna lo ha hecho. En 1951, los fondos de capital tenían aproximadamente el 1% de todas las acciones de los Estados Unidos y para el año 2008, tenían el asombroso 35%, haciendo de la industria de fondos colectivos la institución financiera más predominante de la nación.

Mucho menos obvio, la industria de fondos ha cambiado significativamente su enfoque de inversión. Así que casi el 80% de los fondos de acciones (60 de tan sólo 75 fondos) se diversificaron ampliamente entre las acciones con grados de inversión. Estos fondos siguieron los movimientos del mismo mercado de valores y restaron de sus rendimientos solamente el valor de sus costos, los cuales eran modestos en ese entonces. En la actualidad, tales fondos mixtos de gran capitalización, como 500 en total, son ampliamente superados en número por los 3.100 fondos de capital de los Estados Unidos diversificados en otros estilos, otros 400 fondos estrechamente diversificados en varios sectores del mercado, y 800 fondos que invierten en valores internacionales, algunos ampliamente diversificados, otros invirtiendo en países específicos. Algunas de estas nuevas categorías de fondos (por ejemplo, el mercado mundial de valores) han servido bien a los inversionistas, otras han tenido consecuencias desastrosas. En todo caso, el reto para los inversionistas al momento de elegir un fondo se ha convertido en un reto equivalente a escoger acciones individuales.

Los inversionistas cambian sus lugares, así también los administradores

En parte, como respuesta a este cambio, el comportamiento de los inversionistas propietarios de fondos colectivos también

---

20. Estadísticas de fondos colectivos tomadas de Wiesenberger *Anuario de la Compañía de Inversiones*, El Instituto de Compañías de Inversiones, Morningstar, y Strategic Insight.

ha cambiado. Los inversionistas de fondos ya no sólo *escogen* los fondos y los *conservan*. Ellos los *negocian*. En 1951, el inversionista de fondos promedio[21] conservaba sus acciones durante aproximadamente 16 años. En la actualidad ese periodo de tenencia tiene un promedio de 4 años. Para empeorar las cosas, los inversionistas de fondos no negocian con mucho éxito. Como usualmente buscan un buen desempeño y luego abandonan el barco después de un mal rendimiento, las utilidades de activos ponderados, lo que realmente ganan *los inversionistas de fondos*, han arrastrado a las utilidades de tiempo ponderado reportadas por *los mismos fondos* por la asombrosa brecha anteriormente mencionada, en la que el 10% de utilidades anuales del fondo promedio durante 25 años fue un 37% mayor al 7,3% de utilidades obtenidas por los accionistas de fondos.

El proceso de inversión utilizado por los administradores de fondos también es radicalmente diferente al proceso que imperaba cuando yo ingresé a la industria. En 1951 la administración a cargo de un comité de inversiones era la norma, hoy es la excepción. Esta es la era del administrador de cartera, en la que la gran mayoría de fondos (alrededor del 60%) son administrados por una sola persona o por un equipo de aproximadamente 3 gerentes.[22] Mientras que el comité de administración difícilmente garantizaba utilidades superiores, el sistema servía bien a los inversionistas y la gran mayoría de los fondos producían utilidades que eran relativamente similares a las del mercado. Y aunque el sistema de administradores de cartera individuales probablemente no sea malo en sí mismo, esta evolución, revolución en realidad, ha generado costosas discontinuidades. Un sistema estrella entre los administradores de fondos colectivos ha evolucionado, con todo el alboroto que viene con éste, es-

---

21. Tasas de rotación del New York Stock Exchange y Morningstar.
22. En un refinamiento de este sistema, algunos administradores de fondos grandes emplean equipos de "consejeros de cartera", cada uno de los cuales administra una porción relativamente pequeña de los activos del fondo. Aún está por verse si estos equipos se puedan reproducir un número infinito de veces a fin de generar utilidades superiores.

timulando la hiperactividad de los inversionistas de fondos. El administrador de cartera promedio sirve a un fondo por unos 5 años, administrando agresivamente una cartera cuyas utilidades suelen alejarse drásticamente de las utilidades del mercado de valores en general, a veces de forma positiva por un tiempo, y luego de forma fuertemente negativa. Pero la mayoría de estas estrellas ha resultado ser cometas.

Dado este cambio de lo colectivo a lo individual, no sorprende que las estrategias de inversión de fondos también se hayan alterado drásticamente. En 1951 el fondo colectivo típico se concentraba en la sabiduría de la inversión a largo plazo, conservando las acciones promedio durante aproximadamente 6 años. Hoy el periodo de tenencia de acciones para fondos de renta variable *activamente administrados* es de sólo un año. (Es más, en una base de un dólar ponderado, el periodo promedio de tenencia es de sólo un poco más de 1,5 años) De cualquier forma, el fondo colectivo típico de hoy se concentra en la locura de la especulación a corto plazo.

Con estos cambios, los costos de los fondos han aumentado. En una base *no ponderada* la proporción de gastos del fondo de capital activamente administrado casi que se ha duplicado, pasando del 0,77% en 1951 al 1,50% en 2007. Para ser justos, al ser *ponderados* por los activos del fondo, la proporción de gastos se ha incrementado pasando del 0,6% al 0,93%, un aumento más bajo pero aun así asombroso de más del 50%. Dicho de otra forma, si aplicamos estas proporciones a los activos de fondos de capital de $2 billones de 1951 y a los $7 trillones de 2007 respectivamente, una industria que una vez prestó sus servicios, de una forma más bien efectiva por $12 millones al año, ahora lo hace, de forma menos efectiva por $65 *billones* anuales.

Bueno para los administradores, malo para los accionistas

No importa cómo sea calculado, este asombroso incremento en costos constituye un gran obstáculo para las utilidades

obtenidas por los inversionistas de fondos. A pesar del crecimiento cuántico en los activos de la industria desde 1951, los
administradores se han atribuido a sí mismos la mejor parte de
la extraordinaria economía de escala disponible en el campo de
la administración de dinero, en lugar de dirigir esa parte de la
economía a los propietarios de los fondos, quienes, para decir
lo obvio, lo hicieron posible. Como lo observé anteriormente,
la prioridad de los administradores de dinero, dirigidos por los
gigantescos conglomerados globales que dominan la industria,
(aquellos conglomerados ahora son propietarios de 32 de las 50
organizaciones de fondos más grandes, y hay otras nueve firmas
que cotizan en bolsa), son las utilidades obtenidas sobre *su propio capital,* en lugar de ser las utilidades obtenidas sobre *el capital
que están invirtiendo los accionistas de su fondo.* Este cambio en el
carácter de la industria, desde los administradores privados, hasta
los administradores en gran parte de propiedad y controlados
por conglomerados, pone en evidencia el hecho de que lo que
es bueno para la industria de los fondos, por lo general es malo
para los accionistas de los fondos.

Cada uno de estos grandes cambios ha fomentado una nueva y mucho menos noble misión para la industria. Durante más
de medio siglo, el negocio de los fondos ha pasado de ser administración a ser ventas, de *mayordomía* sobre activos a *acumulación* de activos. En gran parte nos hemos convertido en una
industria de mercadeo, comprometida con una furiosa orgía de
proliferación de productos, Nuestro lema aparente: "Si has de
comprarlo, nosotros lo fabricamos".

Durante las décadas de 1950 y 1960[23] se crearon unos 240
nuevos fondos de capital y durante las de 1970 y 1980, se for-
maron aproximadamente unos 650. Pero únicamente en los
años 90, se crearon 1.600 fondos de capital. La mayoría de ellos,
desgraciadamente, fueron fondos de tecnología, Internet y telecomunicaciones, y fondos de crecimiento agresivo concentrados en estas áreas. Dichos fondos, desde luego, fueron los que

---

23. Estadísticas de creación de fondos según cálculos del autor y Morningstar.

luego llevaron la peor parte de la caída del mercado entre los años 2000 y 2002. Tal proliferación de productos ha engendrado la reacción esperada: los fondos nacen para morir. Considerando que el 13% de todos los fondos fracasaron durante los años 50, la tasa de fracaso para la década actual está alcanzando casi el 60%.

Hacia un mundo mejor

Esta combinación de crecimiento de activos, concentración en inversión truncada, comportamiento contraproducente de los accionistas, proceso de administración de cartera en tiempo real, estrategias de inversión listas para ser lanzadas, elevados costos, propiedad de conglomerados y proliferación de productos (inevitablemente seguida de la disminución de los mismos), ha constituido un serio perjuicio para los inversionistas de fondos.

Dicho en términos sencillos, nosotros, los administradores de los dólares de inversión de las familias estadounidenses, fondos de pensiones, fondos colectivos y otras instituciones financieras, hemos fracasado en estar a la altura de la confianza que los inversionistas han depositado sobre nosotros. Nos hemos vuelto ciegos a nuestros excesivos costos de intermediación, sordos al hecho de que, dado el nivel de esos costos, los administradores de inversiones como grupo están destinados a fracasar en la tarea de generar utilidades adecuadas, e insensibles y reservados con la gran cantidad de maneras en que nosotros como industria les fallamos a nuestros clientes.

Alcahueteamos el gusto del público creando nuevos fondos para capitalizar cada nueva moda del mercado y aumentamos el problema al comunicar intensamente las utilidades obtenidas por nuestros fondos más de moda. En una frase, la fuerza de ventas ha triunfado sobre la mayordomía y nuestros inversionistas son quienes han sufrido. Nuestra asociación de comercio, el Instituto de Compañías de Inversión (ICI), *nunca* ha visto la brecha entre las utilidades reportadas por los fondos colectivos y las utilidades que realmente recibieron los accionistas de los fondos, aún a pesar de decir que aboga por los mismos accionistas. Para tal efecto, el ICI tampoco ha notado los grandes rendimientos obtenidos por las compañías administradoras de fondos independientemente de si los accionistas están ganando dinero.

Estos son sólo dos ejemplos de muchos que se añaden a la evidencia que desmiente la constante afirmación de la industria, la cual se dice una y otra vez en las reuniones anuales de miembros del ICI, que "los intereses de los administradores de fondos colectivos están directamente alineados con los intereses de los accionistas de fondos colectivos". Eso sencillamente no es cierto.

Debe parecer obvio que hay una necesidad urgente de enfrentar estas y otras fallas en el mundo cambiante del capitalismo, y en especial el rápidamente cambiante mundo de la industria de los fondos colectivos. Aunque para mí es notable que una situación tan terrible haya ocasionado tal escasez de discurso público. Mientras nos ahogamos en la innovación, nos morimos de hambre de introspección, la cualidad que puede permitirnos ver en realidad en dónde hemos estado, hacia dónde nos dirigimos y qué debemos hacer para ganar la confianza de los inversionistas.

En la comunidad de inversiones no he visto ninguna defensa de las utilidades insuficientes que les entregan los fondos a los inversionistas, ni de la realmente estrafalaria y contraproducente estructura de propiedad de la industria; por parte de los administradores de fondos no ha habido ningún intento por explicar por qué los derechos de propiedad que se considerarían implícitos en la posesión de acciones de capital en nuestras carteras permanecen en gran medida sin efecto; no ha habido críticas serias contra el no reconocido distanciamiento de las que alguna vez fueron estrategias de inversión convencionales y generalizadas que dependían de la sabiduría de la inversión a largo plazo, hacia estrategias que cada vez más dependen de la disparatada especulación a corto plazo; y hasta el año 2007 casi no se ha discutido acerca de los grandes déficits que enfrentamos en nuestros sistemas públicos y privados de fondos de planes de jubilación en los que nuestros fondos juegan un papel tan importante.

Aunque estos no son problemas sin solución, sería absurdo decir que las soluciones son fáciles de alcanzar. Pero ahora quiero exponer mis puntos de vista sobre la nueva dirección que esta industria debería tomar, debe tomar, sin duda, para su propio beneficio, a fin de establecer un nuevo comienzo de reforma.

Soñemos juntos

"Yo tengo un sueño". O más bien, 5 sueños para rediseñar la industria de los fondos colectivos en los años por venir para que pueda volver a concentrarse en la administración de sus primeros años de historia y reducir el enfoque hacia el mercadeo que ha llegado a dominar el negocio de hoy, es decir, un sueño por una industria que de nuevo valore la administración más que las ventas.

Primer sueño: Un trato justo para los inversionistas

El primer sueño es diseñar una nueva industria en la que les demos a nuestros inversionistas un trato justo en términos de costos. Como ya lo he dicho, aunque recientemente las proporciones de gastos de los fondos de capital se redujeron, el asombroso aumento de los activos bajo administración permaneció en por lo menos un 50% por encima de lo que era en una industria muchísimo más pequeña hace 50 años. Evidentemente, las vastas economías de escala que van de la mano con la administración del dinero de otras personas, han hecho mucho más por beneficiar a los administradores que a los inversionistas. Sueño con que esa tendencia se revierta.

Segundo sueño: Servir de por vida al inversionista

Mi segundo sueño es que diseñemos una industria que sirva al inversionista no por una temporada sino de por vida. Estamos bien preparados tecnológicamente para hacerlo. La habilidad de la industria para enfrentar el complejo mantenimiento de registros de casi 50 millones de participantes en nuestros planes de contribución definida, por ejemplo, ha sido todo un triunfo. Y los servicios que proporcionamos a nuestros inversionistas de fondos por medio de comunicaciones y transacciones por Internet han sido realmente notorios. Pero los vastos menús de fondos que ofrecemos y la amplia colección de estrategias que creamos casi por necesidad, animan a los inversionistas a mover incansablemente su dinero por todas partes, una estrategia que favorece a la casa mucho más de lo que favorece al jugador.

Tenemos demasiados inversionistas que son muy agresivos, quienes hacen parte del Plan 401(k) de cuentas de ahorro de jubilación y trabajan para empresas del listado *Fortune 100*, destinan un promedio del 36% a las acciones de la compañía, no sólo concentrando su riesgo de inversión, sino alineándolo con su riesgo profesional. También tenemos muchos inversionistas que son muy conservadores. Los inversionistas que tienen los llamados fondos de valor estable y los fondos de mercado de dinero como opción de inversión, destinan casi el 24% a estos fondos. Es más, los inversionistas del Plan 401(k) se caracterizan por buscar desempeño, y parece que no nos importara. Tradicionalmente los fondos más populares en nuestros planes de jubilación han sido aquellos con un extraordinario desempeño en el pasado pero desgraciadamente sus utilidades están destinadas a volver al mercado en el mejor de los casos, y muy probablemente por debajo del mismo. También ofrecemos demasiadas opciones sembrando confusión entre los participantes. Permitimos muchos préstamos y ahora sabemos que en el mundo de hoy de alta rotación de personal, en total un 45% de quienes salen de sus empleos, simplemente toman su dinero y se van. Y hasta ahora estamos desarrollando programas anuales que les permitan a nuestros clientes hacer cambios que no sean abruptos de sus años de acumulación de activos a sus años en los que comienzan a reducir esos activos, evitando el riesgo de agotarlos.

Más importante aún, debemos reconocer que los fondos de inversión combinados, como los fondos colectivos, ahora constituyen el elemento dominante del sistema general de jubilación de la nación, incluyendo no sólo los planes individuales de jubilación, sino también los planes de beneficios corporativos y federales, y los planes de gobierno estatal y local. Con cada año que pasa, se harán aún más dominantes. En lugar de sólo buscar nuestros propios intereses particulares, los clarividentes líderes de la industria deberían estar mostrando el camino hacia la racionalización de todo el sistema de servicios de jubilación. Así que mi sueño de proporcionar servicios de por vida para los inversionistas incluye una visión para que los líderes de nuestra industria comiencen a comportarse como hombres de Estado y finalmente den pasos con propuestas y diseños que les den a nuestros ciudadanos un sistema de jubilación sólido, integrado, disciplinado y seguro. Es lo menos que podemos darles a nuestros inversionistas y a nuestra nación.

Tercer sueño: Horizontes de inversión a largo plazo

Mi tercer sueño es que los administradores de nuestro dinero vuelvan atrás el reloj, revirtiendo nuestro enfoque tradicional de estrategias de inversión a largo plazo. Como lo escribí anteriormente, la cartera de fondos promedio rota a un ritmo anual de casi el 100%, ¡un periodo de tenencia de apenas *un año* para la acción promedio! ¿Quién se beneficia de una rotación tan desenfrenada? No son los accionistas de nuestros fondos como grupo. Sin duda, para decir lo obvio (de nuevo) este intercambio *debe* diluir y *así* es, las utilidades de nuestros propietarios en general. Así que el cambio de la industria de fondos desde su histórico enfoque de largo plazo al enfoque actual de corto plazo ha sido en detrimento de los intereses de los accionistas.

Hay otro gran beneficio en volver a ser una industria de propiedad de acciones. Nos veríamos forzados a reconocer que los intereses de nuestros accionistas demandan que nos comportemos como ciudadanos corporativos responsables, examinando cuidadosamente los estados financieros de la compañía, dando a conocer nuestros puntos de vista respecto a opciones de acciones, compensación de ejecutivos y gobierno corporativo; y asegurando que las corporaciones cuyas acciones administramos, sean dirigidas según los intereses de sus accionistas en lugar de los de sus gerentes. En la industria de hoy, de renta de acciones, concentrada en la especulación, las acciones son tratadas como piezas de papel para negociar de aquí para allá en lugar de ser un talismán de propiedad. Como consecuencia, estos problemas de gobierno son ignorados con mucha frecuencia. Así que mi sueño es que volvamos a nuestras raíces como *inversionistas*, no sólo porque será de beneficio económico de nuestros clientes, sino porque podemos jugar el papel determinante en el regreso de las empresas estadounidenses a sus propias raíces de capitalismo democrático.

Cuarto sueño: Servir a inversionistas de largo plazo

Mi cuarto sueño es que de nuevo nos concentremos en servir a los accionistas de largo plazo. Así no es como funciona en la actualidad. Porque con la reducción de los horizontes de inversión de los administradores de nuestros fondos, también se han disminuido los horizontes de los propietarios de nuestros fondos colectivos. No es de extrañar, pues hicimos que nuestro negocio se acomodara para satisfacer las exigencias de los inversionistas a corto plazo. Sólo mira nuestra permanente alocada carrera por ofrecerle a los inversionistas fondos diseñados para ser intercambiados en lugar de fondos diseñados para conservar de por vida. El contraste con la industria de fondos del pasado, la cual en gran parte estaba compuesta de carteras con acciones de primera clase, no podría ser más marcado con la industria de hoy. Pensamos en términos de *tamaños y estilos*, términos que, cuando lo piensas, sugieren más el campo de alta costura que el campo de la inversión.

Así que en mi cuarto sueño abandonamos el método de modelo de pasarela de moda para invertir. ¿Cómo podemos pretender fomentar responsabilidad por el bienestar de nuestros clientes cuando casi 2.800 de los 6.126 fondos colectivos que existían en 2001, hace sólo 7 años atrás, ya están muertos y desaparecidos? En lugar de tener *productos* estrictamente definidos, la industria necesita proporcionar fondos colectivos más ampliamente diversificados, *cuentas fiduciarias* que se puedan comprar y conservar para siempre. Es ahí donde están nuestras raíces. Si ese cambio nos lleva a un mayor énfasis en fondos indexados de mercado en general, lo cual cumple claramente con esa definición, bien, que así sea. Pero si incluso lleva a otras estrategias de inversión con una orientación similar, el fondo indexado sigue siendo el paradigma más puro al que debemos volver.

Quinto sueño: Poner a los inversionistas de fondos en la silla del conductor

Mi quinto sueño es poner a los inversionistas en la silla del conductor del gobierno de los fondos. Sólo de esta manera podemos honrar la directa exigencia de la Ley de Compañías de Inversión de 1940, el estatuto federal que rige nuestra industria, respecto a que los fondos colectivos sean "organizados, dirigidos y administrados para los mejores intereses de sus accionistas en lugar de los intereses de sus asesores y suscriptores". Pero para todas las nobles intenciones de la ley, ese sencillamente *no* es el principio bajo el cual la industria funciona en la actualidad. El hecho contundente es que los fondos están organizados, dirigidos y administrados para el beneficio de sus asesores.

Entonces ¿qué hay que hacer? La educación de los accionistas es dolorosamente lenta, y el tiempo es dinero. Los conglomerados que dominan la industria de hoy no aceptarán rápidamente utilidades reducidas sobre su capital, ni tampoco les devolverán con buena gana sus utilidades a los clientes. Así que no veo otro recurso que exigir que el gobierno de los fondos colectivos concuerde precisamente con la exigencia de la Ley de 1940: una junta directiva ampliamente independiente que esté en deuda, en primer lugar y sobre todo, con los accionistas que la elijen.

Esa estructura existe, pero no opera de esa forma. Contrario al lenguaje de la Ley, el asesor controla el fondo. Así que debemos eliminar el descarado conflicto de intereses que existe cuando el presidente de la junta del fondo es el mismo presidente de la junta directiva de la compañía. (Como lo dice Warren Buffet, "cuando uno negocia con uno mismo rara vez se generan peleas de bar"). Por esa misma razón, necesitamos una junta *totalmente* independiente del gerente. (Un buen comienzo es exigir que el 75% de los directores sea independiente. Pero en Vanguard, nuestros asesores externos tienen *cero* representación en la junta, desde luego sin consecuencias adversas para nuestros accionistas). Las regulaciones de la Comisión de Valores ya exigen un consejo legal independiente y un jefe de cumplimiento para los mismos fondos, y yo estoy completamente de acuerdo, por lo menos para las complejidades de fondos más grandes, un personal del *fondo* que sea responsable ante la junta, que le entregue a la junta información objetiva e imparcial sobre los costos del fondo, su desempeño, mercadeo e información por el estilo. Observa estas palabras clave: *objetiva* e *imparcial*. ¡Ese sería un aliento de aire fresco!

De, por y para el accionista

Lo que busco en definitiva es una industria concentrada en la mayordomía, el manejo prudente del dinero de otros solamente para el beneficio de nuestros inversionistas, una industria que es del *accionista, por el accionista y para el accionista*. Necesitamos una industria de fondos colectivos con *visión y valores:* una visión de deber fiduciario y servicio para los accionistas, y valores arraigados en los principios comprobados de inversión a largo plazo y administración fiduciaria que exija integridad en el servicio a nuestros clientes.

¿Cómo podemos llegar allá junto con el programa de 5 pasos (bueno, 5 sueños) que acabo de presentar? Primero, lo hacemos teniendo fe en la majestad de la simplicidad, ayudando a nuestros inversionistas a que hagan los juicios inciertos pero necesarios para determinar su distribución entre acciones, con su oportunidad de crecimiento de capital y los riesgos asociados, y bonos, con su productividad de ingresos y estabilidad relativa, y luego hacer todo lo que esté a nuestro alcance para diversificar esas inversiones y minimizar los costos, (cargos de administración, costos operativos, gastos de mercadeo, impacto de rotación), prometiendo únicamente darles a los inversionistas su participación justa de utilidades de mercado financiero: ni más, ni menos. De nuevo, si los fondos indexados son la mejor manera de asegurar el alcance de estas metas, que así sea.

También necesitamos no sólo fundar compañías que sean fusiones de productos financieros, sino desarrollar *compañías que representen algo*. Como alguien que ha tenido esa tarea por más de 5 décadas, puedo decirte que es una tarea difícil, exigente y sin fin. Mi propia meta ha sido la de desarrollar una empresa que represente *mayordomía*. Pero permíteme aclarar que esta meta no se da sin un aspecto de beneficio propio ya que Vanguard sobrevivirá y prosperará únicamente en la medida que sirvamos adecuadamente a los seres humanos que nos han confiado la administración de sus fortunas.

Otros tendrán que definir sus propias firmas, pero espero que la administración por lo menos se convierta en parte de su carácter, porque esta vale la pena. En esta industria tendemos a definir el éxito en términos de dólares bajo administración, flujo de caja, participación de mercado y nuevas cuentas abiertas. Pero el verdadero éxito no se puede medir según esos números. Más bien, el éxito debe definirse en términos de calidad de servicio, y de darles a los inversionistas su participación equitativa de cualquier rendimiento que nuestros mercados financieros tengan la suficiente generosidad de otorgarnos. El éxito también debe medirse según el carácter y los valores de nuestras firmas, no sólo en nuestras palabras sino también en nuestros hechos.

Por sobre todo, nuestro éxito depende de mantener la confianza, la confianza de aquellos seres humanos que nos han encargado sus valiosos dólares que han ganado con trabajo duro, y luego salir a ganarse esa confianza todos los días. En el campo de los fondos, por no decir nada del campo financiero en general, hemos tenido suficiente, en efecto, demasiada fuerza de ventas. Es la mayordomía, de la cual casi no hemos tenido suficiente, la que tiene la llave para nuestro futuro.

—CAPÍTULO 7—

Demasiada gerencia, poco liderazgo

S e ha dicho que la mayoría de nuestras corporaciones más grandes tienen demasiada administración, pero poco liderazgo. Yo creo que eso es verdad, no sólo respecto a las empresas de nuestra nación sino también a las instituciones financieras. Desde luego que cada grupo, cada organización y cada nación necesitan una buena dosis, tanto de administradores o gerentes como de líderes. Cada uno de estos dos cargos es esencial y a la vez diferente e identificar esa diferencia es igualmente esencial. Esto es lo que el gurú de la administración, Warren Bennis, dice al respecto:

> "Hay una profunda diferencia entre la administración y el liderazgo, aunque los dos son importantes. Administrar quiere decir producir, lograr, estar a cargo o tener responsabilidad de algo, dirigir. Liderar es influenciar, guiar en una dirección, curso, acción opinión. La diferencia es crucial".[24]

Bennis establece un número de diferencias importantes entre estos dos cargos:

24. Warren Bennis and Joan Goldsmith, *Learning to Lead* (New York: Perseus, 1997).

◇ El gerente administra; el líder innova.

◇ El gerente es una copia, el líder es un original.

◇ El gerente se concentra en los sistemas y la estructura, el líder se concentra en la gente.

◇ El gerente se apoya en el control, el líder inspira confianza.

◇ El gerente tiene un rango de visión corto, el líder tienen una perspectiva de largo alcance.

◇ El gerente tiene sus ojos siempre en el balance final, el líder tiene sus ojos en el horizonte.

◇ El gerente imita, el líder origina.

◇ El gerente acepta el *statu quo*, el líder lo reta.

El profesor Bennis termina su letanía con esta clara conclusión: "El gerente hace las cosas bien, el líder hace lo correcto".

Aunque la orientación de la letanía del Dr. Bennis es en general acertada, creo que la dicotomía es exagerada. ¡Ay del líder que ignora el balance final!, por ejemplo.

¡Ay del gerente que no inspira confianza, o se concentra únicamente en lo inmediato! Así que permíteme presentar una tesis más sutil, una que abarca en muchas instancias ambos conjuntos de talentos.

Para que la empresa alcance su máxima expresión, se requiere de buena administración, altos estándares de profesionalismo y una enorme dosis de confianza que abarque desde la sala de correos hasta la sala de juntas. Las cualidades de la empresa deben estar construidas desde su interior, desde el carácter de cada compañía y no simplemente sobrepuestas en su exterior. Estas cualidades necesariamente deben comenzar con el liderazgo, con líderes que hagan más que contar y cuyas mayores prioridades incluyan los más profundos valores de su organización.

Desde luego, a fin de funcionar con eficiencia y excelencia, todas las empresas también necesitan gerentes expertos y dedicados en cada nivel de la organización. Y también deben estar comprometidos con esos valores. Y tanto líderes como gerentes deben aprender a ver a quienes trabajan con ellos, desde el más alto hasta el de menor de los rangos, no como peones en un ajedrez corporativo, sino como seres humanos con las mismas necesidades y preocupaciones que todos tenemos. Sin líderes fuertes y decididos a trazar el carácter, la dirección y la estrategia de la firma, incluso los mejores gerentes estarán tratando de empujar agua hacia arriba.

Entonces, ¿cuáles son las características del buen liderazgo y la buena administración? En ese aspecto, tengo (¡sorpresa!) opiniones fuertes, la mayoría de ellas formadas en el crisol de mis propias 6 décadas de experiencia en los negocios, incluyendo 4 décadas como líder, 9 años como Director Ejecutivo de Wellington Management, 22 años como Director de Vanguard, y (si así lo quieres) ahora 9 años dirigiendo el ciertamente pequeño Bogle Financial Markets Research Center de Vanguard, con su equipo de otros 3 empleados y yo. Así que aquí hablo desde mi propia experiencia y que en gran parte obtuve con lecciones difíciles.

Desde luego que me siento especialmente orgulloso por los extraordinarios logros de los miembros de nuestro equipo en Vanguard, no sólo cuando yo dirigía, sino hasta este mismo instante. Su intensa participación y contribución a esos logros, dan testimonio de los méritos de la maravillosa sabiduría que extraje de un discurso de 1972 pronunciado por Howard W. Johnson, quien entonces era el Presidente del Instituto de Tecnología de Massachusetts. Expresó en palabras lo que yo creía mucho antes de leerlas:

> "La institución debe ser objeto de intenso cuidado humano y dedicación. Incluso debe cuidarse cuando se cometen errores y se tropieza, y la carga la deben llevar todos los que trabajan para ella y la gobiernan. Cada persona responsable debe cuidar, y cuidar profundamente, las instituciones que tocan su vida".

Desarrollando una gran organización

Así que, esencialmente mi mensaje principal comienza con un sentido de cuidado, un mensaje reflejado en estas 10 normas para desarrollar una gran organización, muchas de las cuales, como lo verás, se aplican tanto a líderes como a gerentes:

Primera: Haz que el cuidado sea el alma de la organización

Cuando por primera vez hablé sobre el cuidado con nuestro equipo de Vanguard en 1989, usé las siguientes palabras: "El cuidado es asunto de todos. Este incluye (1) Respeto mutuo desde el más importante hasta el más humilde de todos nosotros. Cada uno de ustedes merece ser tratado, y *será* tratado, con cortesía, franqueza, amabilidad y consideración por el honorable trabajo que realiza. (2) Oportunidades de crecimiento profesional, participación e innovación. Aunque Vanguard es una empresa en la que a muchos se les pide que realicen trabajos rutinarios y triviales pero siempre esenciales, la realidad es que si vamos a hacer que Vanguard funcione de forma efectiva necesitamos su participación entusiasta en su labor, cualquiera que sea. Después de todo, ustedes los que están en la línea de fuego, saben mucho más de problemas y soluciones que los que el resto de nosotros alguna vez sabrá. La lista continúa: mantener un ambiente de trabajo atractivo y eficiente, proporcionando un programa de comunicación significativa y pagando salarios justos. En ese entonces no expresé nada más que esos principios de sentido común. Hoy, casi 20 años después, no estoy seguro si alteraría alguno de ellos. En un mundo cada vez más impersonal he llegado a creer, junto con Howard Johnson, que el éxito depende de un profundo sentido de cuidado por la institución y por parte de todos los que son afectados por la misma.

Segunda: Olvídate del concepto de empleado

En nuestro comienzo en 1974, traté de capturar el espíritu de nuestra nueva organización al eliminar de nuestro léxico la

palabra *empleado*, una palabra que difícilmente sugiere trabajo de equipo y cooperación, para remplazarla por "tripulante",
otra inclinación náutica hacia nuestro santo patrón, Lord Nelson, y a su buque insignia en honor al cual, nuestra compañía
fue nombrada Vanguard. Para mí, *empleado* sugería a alguien que
llegaba todos los días a las 9:00 a.m., se iba rápidamente a las
5:00 p.m., hacía lo que se le decía, mantenía su boca cerrada y
recibía su sueldo, como un reloj, cuando terminaba la semana
de trabajo. Un *tripulante,* aunque pueda sonar un tanto cursi,
me sugería a una persona emocionada, motivada, comprometida, sí, cuidadosa, que era parte de una tripulación en la que
todos trabajábamos juntos en un viaje que valía la pena, parte
de una cadena que no podía ser más fuerte que su eslabón más
débil. Ese es el tipo de tripulación que quería liderar, unida entre sí, cada uno dependiendo del otro.

Tercera: Establece altos estándares y valores, y respétalos

En 1980, en la celebración de Vanguard al haber superado
el límite de los $3 billones, animé a nuestra tripulación a que le
pusiéramos "habilidad a lo que hacemos; imaginación a lo que
creamos; integridad a lo que producimos; criterio a las metas
que nos fijamos; que tuviéramos valor en tiempos de peligro
y buen humor en la adversidad; y humildad en medio de los
logros". Si estuviera empezando de nuevo hoy, no dudaría en
establecer esas mismas normas.

En cuanto a los valores, desde el principio estaba decidido a
hacer que los seres humanos fueran el centro de nuestra firma.
Durante todos estos años he dicho con mucha frecuencia que
aquellos seres humanos a quienes servimos, y nunca olvidemos también a aquellos *con* quienes servimos, deben ser tratados
"como es debido, como seres humanos reales, todos con sus
propias esperanzas, temores, y metas financieras". En la práctica
eso significa servir juntos a los seres humanos que son nuestros
clientes con nuestras mejores habilidades, siendo administradores prudentes de los activos que nos han confiado, tratándolos

como nos gustaría que los administradores de nuestros propios bienes nos trataran y sirviéndoles con amabilidad, empatía, trato justo e integridad.[25]

Ninguno de estos estándares y valores jamás se escribió en un manual durante mi tiempo como Director de Vanguard. Más bien, propuse una sola pero sencilla norma general: "Haz lo correcto. Si no estás seguro, pregúntale a tu jefe". ¿Por qué? Porque, como lo he dicho miles de veces: "Buena ética, buena empresa". ¿Un nuevo modo de pensar? Difícilmente. En *La Odisea* Homero nos recuerda:

> "Ponlo en el corazón y riega la voz: 'Al final el trato justo rinde más utilidades'".

He leído innumerable cantidad de libros y artículos sobre Administración de Empresas y Estrategia Corporativa, pero nunca he visto la frase *seres humanos* como la clave más importante del liderazgo en los negocios. Pero cuando pienso en nuestros clientes y en nuestra tripulación, esa frase ha sido la clave para todo lo que hemos logrado.

Cuarta: Expresa lo que hay que decir. Repite los valores sin cesar

Si se requiere liderazgo para desarrollar una excelente fuerza de trabajo, y si el liderazgo requiere virtud, y sin duda el mejor liderazgo requiere virtud, entonces un líder puede ser definido como *alguien que inicia y dirige una empresa en busca de un proyecto importante fundamentado en principios.* Para liderar en todos los niveles, desde directores ejecutivos hasta altos ejecutivos y directores de proyectos, e incluso hasta aquellas personas responsables de las tareas más comunes, es necesario inspirar y persuadir a otros seres humanos para que trabajen juntos en un viaje hacia un destino que vale la pena.

---

25. A menudo he observado que aunque el 100% de nuestros líderes de negocios describe la integridad como característica esencial del liderazgo, menos del 100% realmente cumple con esa afirmación.

Para desarrollar una gran organización se requiere encontrar las palabras correctas para comunicar las mejores ideas y los ideales más elevados, palabras que comuniquen propósito, pasión y visión. En el esfuerzo por hacerlo, todos hemos recibido un invaluable regalo: el lenguaje. Usemos las palabras cadenciosas e inspiradoras que tenemos a disposición para desarrollar una organización duradera, una organización en la que los líderes, gerentes y quienes hacen el trabajo duro de rutina, se sientan orgullosos.

Quinta: Recorre el camino. Las acciones hablan más fuerte que las palabras

Ya seas gerente o líder, pocos cursos de acción son más autodestructivos que el de "expresar lo que hay que decir" sin "recorrer el camino". Así que, sea lo que sea que *prediques*, es mejor que lo *practiques*. El principio es sencillo: si quieres confiar, se confiable; si quieres exigir trabajo duro, trabaja duro; si quieres que tus colegas estén a tu altura, tú también debes estar a la altura de ellos. ¡No es tan complicado!

Pero hay otro aspecto en cuanto a recorrer el camino y tiene un significado literal. Recorre tu empresa, o departamento, o unidad, o grupo. La visibilidad personal es uno de los elementos esenciales del liderazgo y no se da cuando estás sentado detrás de tu escritorio. Y si eres un ejecutivo, un "traje" en lenguaje común, no limites tu entorno a salas de juntas llenas de otros trajes. Sal y conoce a las personas que están haciendo el trabajo real: a quienes están en la sala de correo, a los guardias de seguridad, a los programadores, a los contadores, a los administradores del dinero, a todos aquellos de quienes depende tu trabajo diario.

Sexta: No administres demasiado

Como ya lo mencioné anteriormente, lo más importante en la vida y en los negocios no se puede medir. La trillada frase: "Si lo puedes medir, lo puedes administrar" ha obstaculizado el desarrollo de grandes organizaciones del mundo real, y también ha sido un impedimento para evaluar la economía del mundo real. Es el carácter, y no los números, lo que hace que el mundo gire. ¿Cómo podemos medir las cualidades de la existencia humana que le dan sentido a nuestra vida y profesiones? ¿Qué tal la gracia, la amabilidad y la integridad? ¿Qué valor le damos a la pasión, la devoción y la confianza? ¿Cuánto le puede añadir a la vida un poco de ánimo, la cadencia en la voz humana y un toque de orgullo? Por favor, dímelo, si puedes, cómo valorar la amistad, la cooperación, la dedicación y el espíritu. Definitivamente, la firma que ignore las cualidades intangibles que los seres humanos con quienes trabajamos infunden a sus profesiones, *nunca* desarrollará una excelente fuerza de trabajo ni una gran organización.

En este punto, Lord Keynes también lo expresó acertadamente: "Sugerir que una empresa está basada en un cálculo exacto de los beneficios a obtener, es un mero pretexto... Necesitamos *instinto primitivo*, un impulso espontáneo a la acción. Si ese instinto se atenúa y el optimismo espontáneo flaquea, haciéndonos depender únicamente de la expectativa matemática, la empresa se desvanecerá y fracasará".[26] Y así será. Debemos permitir que ese instinto primitivo triunfe al interior de nuestras organizaciones y al interior de nosotros mismos.

Séptima: Reconoce el logro individual

Durante los primeros días de Vanguard fuimos una de las primeras firmas que creó un programa formal de reconocimiento al empleado. Comenzó, según lo recuerdo, más o menos en 1980, y sigue intacto y prácticamente no ha cambiado hasta el día de hoy. Cada trimestre me presentaba ante un grupo de miembros de la tripulación y le entregaba el "Premio Vanguard a la Excelencia" a uno de nuestros compañeros de trabajo, quien inevitablemente quedaba sorprendido. El premio, basado

26. John Maynard Keynes, *The General Theory of Employment, Interest and Money* (New York: Harcourt, Brace & Company, 1936).

en nominaciones de nuestros compañeros de trabajo, y revisado por un comité de funcionarios, se entrega por tener un espíritu especial de equipo, cooperación, servicio ejemplar para con los clientes y compañeros de trabajo, iniciativa y recursividad. Cada trimestre se entregaban entre 6 y 10 premios que incluían un cheque por $1.000 dólares y $500 dólares de donativo a la obra social preferida del miembro de la tripulación y una placa con el lema: *Una sola persona puede hacer la diferencia*. El "Premio Vanguard a la Excelencia" sigue vigente.

El punto no es enriquecer a los beneficiarios del premio, sino reconocer el logro, reforzar una creencia inquebrantable en el valor del individuo para la organización en general. Aunque ya no soy el Director Ejecutivo de la compañía, todavía me siento en mi oficina y converso durante una hora o más con cada uno de los ganadores del premio y durante ese tiempo escucho y hablo, aprendo y enseño, me familiarizo y le doy a cada ganador una copia especial firmada de uno de mis libros con una dedicatoria en conmemoración al premio. Aunque pueda parecer poca cosa, tengo la certeza de que este toque humano en la que ahora es una empresa gigantesca ayudará a preservar el legado que he tratado de crear.

Octava: Un recordatorio, la lealtad es de doble vía

Pocos son los altos ejecutivos que no invitan a su personal a mostrar lealtad, pero muchos se detienen ahí. Sin embargo los mejores líderes se aseguran de devolver lealtad en la misma medida. Como le dije a nuestra tripulación en 1988, "Realmente es increíble que la mayoría de empresas estadounidenses se hayan tardado tanto en entender que sencillamente *no está bien* pedirles lealtad con la empresa a quienes hacen el trabajo diario sin que la empresa haga el mismo compromiso, con el mismo fervor, de ser también leal con ellos. Y el concepto de lealtad de doble vía en sí, debe llegar a ser una tradición en Vanguard".

Hablar sin acciones es superficial y no tiene sentido. Así que cuando Vanguard alcanzó una buena posición financiera a comienzos de los años 80, procedimos a demostrar la lealtad de la firma para con su tripulación. Por medio del Plan de Alianza con Vanguard, cada uno de los miembros de nuestra tripulación, desde el momento de su contrato, comparte las utilidades que generamos para nuestros accionistas. No conozco otra empresa en la que cada miembro de su personal participe de sus utilidades, sin que haya puesto ni un centavo de capital.

Estas utilidades se derivan de: (1) nuestra ventaja de bajo costo (es decir, las proporciones de gasto de nuestro fondo, en relación con las de nuestros principales competidores); (2) la medida en la que el desempeño de nuestro fondo supera o se diferencia de los rendimientos de nuestros competidores; y (3) el tamaño de nuestra base de activos. Así que nuestras utilidades han crecido y a medida que nuestra ventaja de costos ha aumentado los rendimientos de nuestros fondos han superado los de sus similares y nuestros activos han crecido, ¡sustancialmente! Cada miembro de la tripulación tiene un número específico de unidades de asociación, el cual aumentamos según años de servicio y nivel de cargo, y cada junio recibe un cheque que, en algunas excepciones importantes, por lo general equivale al 30% de la remuneración anual de cada empleado. (Las provisiones del plan son privadas).

Novena: Lidera y administra proyectándote a largo plazo

Liderar una empresa es una tarea seria, difícil, llena de fallas y exigente. La despiadada competencia hace que los gerentes y miembros del personal estén alertas todo el tiempo, y las inevitables fluctuaciones y tanto las vicisitudes de los asuntos de una industria, así como el nivel general de actividad económica, suelen exigir la toma de decisiones dolorosas y hacer concesiones para cumplir con las exigencias del momento. Pero liderar una empresa también es emocionante, retador y gratificante. La clave de la diferencia, creo, yace en hacer todo lo posible para concentrarse en las oportunidades a largo plazo, haciendo lo mejor que puedes por ignorar las inevitables dificultades a corto plazo. En muchas ocasiones le he recordado a nuestra tripulación: "La mayoría de las decisiones correctas son fáciles cuando decides que vas a estar en el negocio por mucho o por poco tiempo".

Piénsalo: La *percepción efímera* de una empresa se basa primordialmente en imágenes, titulares superficiales en la prensa, los retos temporales, todos los altibajos y desvíos que nos quitan los ojos del balón. En contraste, la *realidad eterna* de una empresa es su habilidad de proveer buenos productos o servicios que satisfagan las necesidades del cliente a un precio justo. Sí, las percepciones del cliente pueden cambiar cuando los tiempos y las circunstancias difíciles cobran su cuota. Pero con el tiempo, en los negocios (e incluso en los precios de acciones), cualquier brecha entre la percepción y la realidad se reparará en *favor de la realidad.*

Así que un gran personal debe ser administrado como un activo de largo plazo y cualquiera que aspire a ser un gran líder o un gran gerente debe siempre tener presente esa perspectiva. Algunas directrices: evita los despidos en tiempos de crisis temporales; ten cuidado con la austeridad en las compensaciones; no recortes beneficios para suplir las limitaciones presupuestales de corto plazo; y nunca exijas que algún porcentaje determinado del personal tenga que ser calificado insatisfactoriamente de forma unilateral. *¡Nunca!* (En el Comercio, esto se llama "califica y despide"). Si te concentras en el largo plazo, lograrás crear el ambiente correcto para desarrollar una gran organización. El *carácter* es el fundamento de la empresa que dura.

Décima: Pese a todo, sigue adelante

Si hubiera una sola frase que articulara correctamente la actitud de los líderes de negocios y de los gerentes que merecen y recompensan a un gran personal, esa sería: "Pese a todo, sigue adelante". Es una regla de vida que ha sido el lema de mi familia desde que tengo memoria y me ha sostenido tanto en medio de tiempos difíciles como en tiempos amigables.[27] Este lema proviene de un viejo bote de pesca de langostas llamado *Press On (Sigue adelante)* el cual era propiedad de mi tío, Clifton Armstrong Hipkins, quien fue banquero de inversiones. En el pequeño puente había enmarcada una copia de estas palabras del Presidente Calvin Coolidge:

> *Nada en el mundo puede remplazar la persistencia. Ni el talento, pues nada es tan común como hombres talentosos pero sin éxito. Ni el genio, los genios sin recompensa son casi un proverbio. Tampoco la educación, el mundo está lleno de vagabundos educados. Sólo la persistencia y la determinación son omnipotentes. El lema 'Sigue adelante' ha resuelto y siempre resolverá los problemas de la raza humana.*

Precaución: muchos líderes entienden intuitivamente la necesidad de seguir adelante cuando el clima es tormentoso y se hace difícil avanzar. Muy pocos, a mi parecer, entienden la necesidad de seguir adelante también cuando el clima es soleado y es fácil prosperar. Pero tanto los líderes como los administradores por igual, necesitan recordar que los buenos tiempos, al igual que los malos, pasarán. El mejor curso que conozco es seguir adelante, sin importar cuáles sean las circunstancias.

Como todos los grandes sentimientos, la idea de seguir adelante difícilmente es nueva. San Pablo animó a su rebaño a que hiciera como él, y que "prosiguieran a la meta". Dos y medio milenios atrás, las últimas palabras escritas por Buda, expresaron el mismo sentimiento: "Esfuércense con diligencia".

La empresa óptima

Si su liderazgo y administración por igual pudieran aprender de estas reglas y actuar en consecuencia con ellas, y hacerlo

---

27. Cuando en mi segundo año estuve a punto de perder mi beca y tener que salir de Princeton, luchando sin ningún éxito con el libro de Paul Samuelson *Economics: An Introductory Analysis* en la primera clase que tuve sobre lo que sería mi profesión, definitivamente: Press On "Seguí adelante". Me gradué con altos honores.

consistentemente y con convicción, cualquier firma tendría la oportunidad de desarrollar lo que a Robert Greenleaf, el creador del concepto de liderazgo de servicio, le gustaba llamar "la empresa óptima". Está la forma como él describió tal empresa:

> *Lo que diferencia a una empresa óptima de sus competidores no son las dimensiones que por lo general separan a las empresas, como la tecnología superior, un análisis de mercado más astuto, una mejor base financiera, etc., sino un pensamiento poco convencional respecto a su sueño, lo que esta empresa quiere ser, cómo se establecen sus prioridades y cómo se organiza para servir. Tiene una filosofía y una autoimagen radicales.*
>
> *El pensamiento poco convencional de la empresa respecto a su sueño suele nacer de una visión liberadora. ¿Por qué las visiones liberadoras son tan excepcionales? Porque es difícil presentar una visión poderosa y liberadora. Pero esa dificultad en la presentación es sólo la mitad de la respuesta. La otra mitad es que pocos de los que tienen el don de resumir una visión, y el poder de articularla persuasivamente, tienen la iniciativa y valor de intentarlo. Pero debe haber un lugar para líderes servidores con voces proféticas de gran claridad que produzcan esas visiones liberadoras en las que dependa una sociedad cuidadosa y servidora.[28]*

Dejo que cabezas mucho más inteligentes y más objetivas que la mía juzguen en qué medida Vanguard cumple con la definición de una empresa superior. Desde luego, espero que sí la cumpla. Pero no vacilo en decir que es fruto de un pensamiento poco convencional acerca de lo que queríamos ser, acerca de cómo establecimos nuestras prioridades y respecto a cómo nos organizamos para servir a nuestros clientes.

Valores y utilidades

En este punto probablemente sea necesario decir que estoy

---

28. Robert Greenleaf, *Servant Leadership: A Journey into the Nature of Legitimate Power and Greatness* (Mahwah, NJ: Paulist Press, 1991).

profundamente convencido de que otras firmas, ya sea fondos
colectivos, firmas financieras, o incluso compañías compro-
metidas con la producción de bienes y prestación de servicios,
pueden aprender del ejemplo de Vanguard. Me complace decir
que no soy el único con esa convicción. En *The Value Profit
Chain*, tres profesores de la Escuela de Negocios de Harvard
describen a Vanguard como una de sólo dos organizaciones (la
otra fue Wal-Mart) cuyos "sobresalientes logros... estaban fun-
damentados en conceptos de la conexión entre el valor y las
utilidades *desde el comienzo de su desarrollo...* (y) han llegado a
ocupar posiciones de liderazgo en sus respectivas industrias".[29]

El concepto de los autores sobre la conexión entre el valor y las utilidades, incluye una serie de "fenómenos interrela-
cionados: lealtad y compromiso del cliente movido por altos
niveles de valor comparado con la competencia; valor creado
por empleados satisfechos, comprometidos, leales y productivos;
empleados satisfechos debido a la 'rectitud' de la gerencia, la
oportunidad de crecimiento personal en el empleo, y la capacidad que tienen los empleados de prestar servicio a los clientes...
Cuando las organizaciones tienen en su lugar los elementos
de la conexión entre el valor y las utilidades, los resultados",
—refiriéndose a los rendimientos superiores, a los bajos costos
y la alta satisfacción de los accionistas de Vanguard—, "son dra-
máticos".

La tormenta de destrucción creativa

Estoy seguro de que nuestros competidores, hasta los más
exitosos, ven con cierto asombro y escepticismo nuestro surgimiento como una de las empresas más grandes de la industria
y con mayor liderazgo, nuestra estructura corporativa única y
nuestro enfoque de mantener al mínimo los costos de posesión
(en una industria que difícilmente procura esa meta), nuestro

---

29. James L. Heskett, W. Earl Sasser, and Leonard A. Schlesinger, *The Value
Profit Chain: Treat Employees Like Customers and Customers Like Employees*
(New York: Free Press, 2002).

celo misionero, y nuestra terquedad y determinación. Pero nos hemos atrevido a ser diferentes. Hemos procurado desarrollar una empresa en donde la confianza, la administración y el profesionalismo estén entretejidos en la misma tela, y sin duda en el mismo nombre, y parece estar funcionando perfectamente. Por sobre todo, hice mi mayor esfuerzo por desarrollar una empresa que resistiera, una empresa que durara por lo menos un siglo. (No estamos tan lejos. Wellington Fund celebra su aniversario número 80 este año. Estoy seguro de que, desde su sitio en el cielo, Walter Morgan, fundador de Wellington y mi gran mentor, estará recibiendo las felicitaciones. ¡Tal hito no es un logro promedio!).

Sin duda, pocas corporaciones han alcanzado la prueba del siglo. Mira, por ejemplo, los cambios en la lista de *Fortune 500* (una lista anual de las corporaciones más grandes de los Estados Unidos) tan sólo en un periodo corto de medio siglo. De las 2.000 empresas que en algún momento hicieron parte de esa lista desde que fue publicada por primera vez en 1955, la gran mayoría ya no está. Solo 71 empresas de las primeras 500 siguen en esa lista en la actualidad. Evidentemente, este cambio es lo que Joseph Schumpeter, el primer economista que reconoció el emprendimiento como la fuerza vital que mueve el crecimiento económico, llamó "la tormenta de destrucción creativa", en la que empresas establecidas, mal preparadas para el cambio, son remplazadas por nuevas empresas inspiradas por nuevas ideas y nuevas tecnologías y dirigidas por empresarios visionarios.

Pero no hay razón inherente por la cual una firma con el compromiso y audacia para desarrollar la clase de cultura positiva que he tratado de describir aquí, no pueda desafiar el peligro constante de la destrucción creativa. Jim Collins, el autor de *Good to Great*, está de acuerdo: "Cuando has desarrollado una institución con valores y un propósito que van más allá de hacer dinero; cuando has creado una cultura que hace un aporte diferente a la vez que genera resultados excepcionales, ¿por qué rendirte ante las fuerzas de la mediocridad y sucumbir ante la irrelevancia? ¿Y por qué has de rendirte ante la idea de que puedes crear algo que no sólo dure sino que también merezca ser duradero? Ninguna ley de la naturaleza dicta que una gran institución inevitablemente deba fracasar, por lo menos no en el transcurso de una vida humana".[30]

Así que mi esperanza no es simplemente que Vanguard sea duradera, sino que merezca serlo. Es más, espero que otras firmas que merezcan durar, también luchen contra la incesante tormenta de destrucción creativa y resistan. Para hacerlo, desde luego, las instituciones que sobreviven y prosperan deben tener valores y propósito más allá de sólo hacer dinero. También requerirán gerentes y líderes que infundan visión y carácter a cada elemento de la empresa, hombres y mujeres que no sólo pongan al servicio del reto sus cabezas sino también sus corazones.

Al evitar las consecuencias de la administración excesiva, los gerentes bien calificados, de los cuales tenemos muchos, (aunque incluso en esta era de MBA, nunca suficientes), deben hacer las cosas bien, pues únicamente la administración sobresaliente puede implementar de manera efectiva las políticas y prácticas requeridas para desarrollar una empresa superior. Pero solamente el genuino liderazgo, del cual nunca tendremos suficiente, puede concentrarse en hacer lo correcto: establecer principios humanos de cuidado, trazar el curso de acción, y proporcionar la visión que inspirará a que los miembros de la organización la sigan.

---

30. Jim Collins, "The Secret of Enduring Greatness". *Fortune*, mayo 5, 2008.

LA VIDA

—CAPÍTULO 8—

Demasiada concentración en las cosas, poca concentración en el compromiso

Hasta donde logro recordar, las grandes verdades de la existencia humana me han inspirado. A veces las encuentro en lugares obvios: los filósofos de la Antigua Grecia, la Biblia (en especial en la versión King James), Shakespeare. Pero, también con frecuencia veo que esas grandes verdades surgen de lugares inesperados. Ejemplo de esto me ocurrió hace una década, mientras veía una exitosa película en un teatro de Filadelfia.

La película era *A Civil Action*, basada en el libro de Jonathan Harr, el cual es la crónica de un juicio que se dio como resultado de una mortal contaminación de agua en un pueblo de Massachusetts. Un ambicioso abogado (interpretado por John

Travolta) inicialmente busca fama y riquezas para sí mismo al ganar millones para las familias de las víctimas. Pero a medida que el caso se desarrolla, él se involucra con las familias y gasta grandes cantidades de sus propios recursos endeudándose, tanto él como su pequeña firma de abogados, para hacer la investigación científica sobre el impacto de la contaminación. A medida que avanza la trama, la búsqueda de derecho y justicia comienza a consumirlo hasta que finalmente, por defender sus principios, se arriesga al fracaso económico. Desafortunadamente fracasa y la secuencia final de la película lo presenta ante el Tribunal de Quiebras.

En ese punto, a la juez le parece difícil creer que las únicas posesiones de este exitoso y alguna vez adinerado abogado litigante sean solamente $14 dólares y un radio portátil. Incrédula, le pregunta: "¿Dónde están aquellas cosas por las que se mide la vida de un hombre?". Casi salto de mi silla ante la profundidad de la pregunta. *¿Dónde están aquellas cosas por las que se mide la vida de un hombre?* Pero él ya no tiene nada. Había defendido la valiosa causa de los niños que han muerto y las familias que han quedado devastadas. Había arriesgado su carrera, y lo había perdido todo. ¿Deberíamos medirlo por lo que *tiene*? ¿O por lo que *es*?

Aparentemente, para Hollywood es preferible medir nuestras vidas según el carácter. Pero la pregunta permanece: ¿Cuáles *son* las cosas por las cuales deberíamos medir nuestra vida? Sigo buscando la respuesta definitiva a esa pregunta. Sin embargo sé que nunca podremos permitir que cosas como esas, las posesiones materiales que podamos llegar a acumular, se conviertan en la medida de nuestra vida. Esa es una trampa en la que fácilmente caemos en una nación tan llena de abundancias materiales y con tantas cosas casi sin medida. Hace dos mil años y medio, el filósofo griego Protágoras nos dijo que el "hombre es la medida de todas las cosas". Hoy, me temo que nos estamos convirtiendo en una sociedad en la que "las cosas son la medida del hombre".

Sin duda, probablemente haya un irónico aforismo donde la conocida frase "el que muere con más juguetes gana". Tal medida es absurda, superficial y a la larga contraproducente. El mundo tiene demasiadas invitaciones a gastar sus limitados recursos en cosas triviales y transitorias. Literalmente hay billones de seres humanos por todo el planeta que piden apoyo y salvación, seguridad y compasión, educación y oportunidad, intangibles que tienen un valor mucho mayor que el de muchas cosas tangibles cuya naturaleza termina siendo inconsecuente. Uno de mis himnos favoritos "Dios de Gracia y Dios de Gloria", lo dice mejor que yo: "Cura la locura guerrera de Tus hijos, inclina nuestro orgullo a Tu voluntad; avergüenza nuestra desenfrenada y egoísta alegría, rica en cosas y pobre de alma".

Es sorprendente que una película de Hollywood se preocupara por las cosas por las cuales se mide la vida de una persona, y es aún más sorprendente que un hombre de negocios, en especial alguien del campo de las inversiones, en donde la codicia parece estar a la orden del día, hiciera eco de esa preocupación. Pero he tenido suficientes motivos para saber que el camino de la vida pocas veces es suave y que necesitamos estar preparados para las inevitables adversidades en nuestras fortunas, ya sea que estén constituidas por riquezas, salud o familia.

Ahora, a la edad de 79 años, también he vivido lo suficiente como para reconocer la sabiduría de esa acertada advertencia de Eclesiastés: "No es de los veloces la carrera, ni de los valientes[1] la batalla, ni de los sabios el pan, ni de los entendidos las riquezas, ni de los conocedores la gracia; sino que a todos les llegan el tiempo y el contratiempo". Dicho de otra forma, el tiempo y el contratiempo pueden darte cosas, así como también quitártelas. Pero aunque *lo que tienes* puede llegar y partir, *lo que eres*, tu carácter, permanecerá.

---

1. En referencia al mismo pasaje de Eclesiastés, Damon Runyon añadió esta advertencia: "Puede que no siempre la carrera sea de los rápidos, ni la batalla de los fuertes, pero esa es la forma de vencer".

Audacia, compromiso y providencia

Si las cosas son efímeras por naturaleza (después de todo "no te las puedes llevar") ¿qué es lo que sí importa? ¿Cuáles son las características por las cuales deberíamos medir nuestra vida? Seguramente el filósofo alemán del Siglo XIX, Goethe, identificó una de ellas: audacia.

> "¿Eres serio? Ahora mismo evalúa lo que puedes hacer o sueñas que puedes hacer y comiénzalo; la audacia tiene genio, poder y magia en sí misma".[2]

Las inspiradoras palabras de Goethe infundieron una fuerte impresión en el autor escocés W.H. Murray, a quien parafraseo a continuación:

> *Mientras no estemos totalmente comprometidos habrá indecisión, existirá la posibilidad de echarse atrás y habrá siempre ineficacia. En relación con todos los actos de iniciativa y de creación, hay una sola verdad elemental, cuya ignorancia mata innumerables ideas y planes espléndidos: en el momento en que uno se compromete firmemente, la providencia se pone también en movimiento.*

> *De la decisión surge todo un caudal de sucesos que provoca todo tipo de incidentes imprevistos a nuestro favor, encuentros casuales y ayuda material que nadie habría imaginado encontrar. Hagas lo que hagas, o sueñes que puedes hacer, comiénzalo. La audacia tiene genio, poder y magia en sí misma. Comiénzalo ahora mismo.[3]*

Así que la combinación de audacia y compromiso parece reunir mágicamente lo que podemos llamar *providencia*.

Es completamente cierto, y mi propia vida ha sido muestra de ello, mejor que cualquier sueño. Cuando me he comprome-

---

2. Aparentemente de una mala traducción del libro de Goethe, *Faust*. Vea www.goethesociety .org/pages/quotescom.html.
3. W. H. Murray, *The Scottish Himalayan Expedition* (London: J. M. Dent & Sons, 1951).

tido con audacia, la providencia ha venido detrás, ya sea que por providencia, hace tanto tiempo, me hubiera cruzado con el artículo de esa revista *Fortune* sobre la industria de fondos colectivos cuando estaba buscando un tema para mi tesis de grado y luego me comprometí de lleno con el proyecto; la providencia (¡sí, la providencia!) de que mis compañeros de Wellington me hubieran despedido me exigió el compromiso de recapturar mi carrera en la industria y me dio la oportunidad de fundar Vanguard; la providencia de recibir un nuevo corazón, justo cuando el mío estaba por expirar; y el compromiso de aprovechar al máximo mi segunda oportunidad en la vida; y los muchos otros ejemplos que he mencionado en este libro, las "hectáreas de diamantes" que siempre estuvieron ahí providencialmente, esperando a ser descubiertas pero requiriendo compromiso para capitalizar su valor.

De igual forma, por cada acto de audacia en Vanguard, sin duda he sido recompensado con genio, poder y magia, no solamente míos sino con el genio, poder y magia de mis compañeros de tripulación y las ideas que nos llevaron a construir una mejor empresa y ver que los clientes encontrarían un camino hacia nuestra puerta, recortando costos e invirtiendo a largo plazo, comprometidos firmemente con hacer todo de la manera correcta, incluso cuando surgían atajos por todas partes.

Mi resistencia inherente a los atajos se aumentó en gran medida por una dura experiencia como reportero policial para el viejo *Philadelphia Bulletin*. En 1950, mientras trabajaba en un empleo de verano, recibí una llamada de la redacción para que cubriera la noticia de una casa en llamas. Para llegar desde donde estaba, en una estación de bomberos, tenía que tomar dos autobuses, (yo no tenía auto). Era casi media noche, estaba cansado y la historia no me inspiraba, así que esperé a que los bomberos regresaran, redacté el informe con el testimonio de ellos y lo entregué. Pero mi editor, viendo la falta de detalles y sospechando de mi estrategia, me sorprendió con una sola pregunta: "¿Bogle, de qué color era la casa? Mortificado por mi conducta y asustado por perder mi empleo, sencillamente respondí: "Me ocuparé de eso de inmediato".Y lo hice. Fue una gran lección para tener cuidado de los aparentemente fáciles atajos en la vida. ¡Le debo un cariñoso saludo a ese editor! *Si hay que hacer un trabajo, es mejor hacerlo bien.*

Compromiso y audacia se encuentran entre lo que realmente importa, son aspectos por los cuales podemos medir nuestra vida, aquellas cosas que ayudan a poner la providencia de nuestro lado. Su alcance va mucho más allá de cómo nos ganamos la vida, pues nunca olvides que ninguno de nosotros vive sólo de pan.

Compromiso con la familia y la comunidad

La vida completa también requiere de otros compromisos los cuales comienzan con nuestras familias. Mientras no estemos comprometidos, existirá la posibilidad de arrepentirse, pero tan pronto nos comprometemos con la familia, se presentan todo tipo de situaciones que de otra forma podrían nunca haber sucedido. Para mí el compromiso con la familia me ha dado la bendición del matrimonio (Eve y yo ya hemos disfrutado casi 52 mágicos años juntos), las bendiciones de los hijos, las bendiciones de los nietos, y probablemente algún día incluso las bendiciones de los bisnietos.

El compromiso con nuestros vecinos y nuestra comunidad también es vital. En esta era que cada vez es más individualista, el espíritu de comunidad —antes ejemplificado en el levantamiento de un granero, el trabajo comunitario, el arreglo de cercas— parece casi un extraño anacronismo. Pero un espíritu de cooperación y unidad en la actualidad es más importante que nunca, especialmente en nuestras áreas urbanas en las que las grandes riquezas y la pobreza extrema habitan una al lado de la otra y en donde paradójicamente ambos extremos parecen alejarnos del tipo de espíritu de comunidad que está en el centro del civismo que ha hecho que la vida en las comunidades estadounidenses valga la pena.

No me avergüenza para nada mencionar el papel constructivo que juega la religión en el fomento de estos elevados valores. Aunque no me quedaré con los valores judeocristianos que profundamente aprecio, diría que prácticamente todas las religiones enseñan la existencia de un ser supremo, las virtudes de la Regla de Oro y las normas de conducta que coinciden con los Diez Mandamientos. Prosperamos como seres humanos y familias, no por *cuál fe* acogemos, sino por *tener fe* en algo mucho más grande que nosotros mismos.

El compromiso para con la ciudadanía

En mi vida he conocido bastantes hombres y mujeres exitosos, de los cuales, muchos expresan su orgullo por haberlo logrado todo por su propio esfuerzo. Pero no creo que ninguno de nosotros pueda llevarse todo el crédito de su éxito. Muchos de nosotros hemos sido bendecidos con el cariño y amor de nuestras familias, el respaldo de nuestros amigos y colegas, la dedicación de nuestros maestros y la inspiración y dirección de nuestros mentores, sin mencionar la providencia que nos dio la oportunidad de alcanzar nuestras metas. "Lo hicimos *solos*" ¿en serio? Cuando escucho eso tengo la audacia de preguntar, "¿Cómo lograste los arreglos para nacer en los Estados Unidos de América?".

Y así llego a mi última afirmación de compromiso: compromiso con nuestra nación, "Los hermosos Estados Unidos" en las palabras del himno. Por favor no menospreciemos nuestra herencia como estadounidenses ni la demos por hecha. Y, para tal caso, nunca pensemos que hemos llegado a la perfección, como nos lo advierte este esplendido verso del himno, mi favorito: "¡Estados Unidos! ¡Estados Unidos! Que Dios repare cada error tuyo. Confirma tu alma en el autocontrol, tu libertad en la ley". La magia también fluye de nuestra nación cuando audazmente nos comprometemos a hacer todo lo que podemos, todos los días, para medir los principios elementales de buena ciudadanía.

Así que depende de todos nosotros el reunir nuestro único genio, nuestro propio poder y nuestra magia personal. Así como lo ha hecho por mí tan fielmente, la providencia lo hará por ti. ¡Seguro que sí! Así que sé audaz en todo lo que hagas. Cada uno de nosotros debe decidir por sí mismo cuánto concentrarse en las cosas, y sin duda en qué cosas concentrarse. Pero sé que cada uno de nosotros también puede obtener beneficios de algunos momentos de silenciosa meditación respecto a si nuestras vidas son movidas más que todo por la acumulación de posesiones y no mucho por el ejercicio de un compromiso audaz con nuestra familia, nuestro trabajo, una causa que valga la pena, nuestra sociedad y nuestro mundo.

—CAPÍTULO 9—

Demasiados valores del Siglo XXI, pocos valores del Siglo XVIII

H ace algunos veranos, finalmente logré terminar de leer un libro que el ya fallecido Neil Postman, prolífico autor, crítico social y profesor de la Universidad de Nueva York, me autografió y me regaló. El mensaje central de *Building a Bridge to the 18th Century* está resumido en su epígrafe inicial:

> *Pronto conoceremos todo lo que el Siglo XVIII no supo ni hizo, y será difícil vivir con nosotros.*[4]

El libro de Postman presenta una apasionada defensa del humanismo liberal de la vieja era el cual fue el distintivo de la Era de la Razón. Su intención era restaurar el balance entre

---

4. Aunque sólo nos encontramos en una ocasión, Postman conocía bastante sobre mis propios valores como para escribir en su libro lo siguiente: "Para Jack, a quien tengo la fortuna de conocer en el Siglo XXI, pero que no ha olvidado el glorioso Siglo XVIII. ¡Brindo por el sentido común!".

la mente y la máquina y su mayor preocupación era nuestro distanciamiento de la era en la que los valores y el carácter de la civilización occidental dominaban las mentes de nuestros grandes filósofos y líderes, y cuando la perspectiva dominante era que todo lo que es importante tiene una autoridad moral.

Según la forma de pensar de Postman, la verdad es inmune a la moda y al paso del tiempo. No estoy tan seguro de eso. Aunque así funcionen las cosas a largo plazo, pues desde luego que la realidad finalmente prevalece, la percepción suele ganar a corto plazo. Indudablemente, yo diría que nos hemos distanciado de la *verdad*, como sea que cada uno la defina, acercándonos (con el debido respeto hacia el comentador de televisión Stephen Colbert) a la *corazonada*, la presentación de ideas y números que comunican ni más ni menos que aquello que deseamos creer para nuestros propios intereses, y con lo cual persuadimos a otros a creerlo también. En consecuencia, este interés propio en la parte de los segmentos más adinerados de nuestra sociedad, se ha usado para justificar lo que describí en *The Battle for the Soul of Capitalism* como "mutación patológica" de capitalismo de *propietarios* a capitalismo de *gerentes* en nuestros sistemas empresariales y financieros, en las empresas estadounidenses, las inversiones estadounidenses y los fondos colectivos estadounidenses por igual, los tres objetivos principales del libro.

Pero también me temo que esta mutación patológica se ha extendido más ampliamente en toda la sociedad, permeando muchas de nuestras vidas. Con Wikipedia al alcance de los dedos y Google esperando en línea para servirnos, estamos rodeados de información, pero cada vez más distanciados del conocimiento. Por todas partes tenemos datos (o, con mayor frecuencia, datos falsos). Pero hay escasez de sabiduría, la clase de sabiduría que abundaba en la época de los Padres Fundadores de esta nación.

Cuando expresé por primera vez mi escepticismo respecto a nuestra era de la información, hace más de 10 años, ingenuamente pensé que era un pensamiento original. Pero no hay nada nuevo debajo del sol, y me alegró enterarme hace poco que T.S. Eliot había expresado las mismas ideas, de forma mucho más poética, desde luego en *The Rock* (1934):

¿Dónde está la vida que hemos perdido al vivir?

¿Dónde está la sabiduría que hemos perdido en el conocimiento?

¿Dónde está el conocimiento que hemos perdido en la información?

Los ciclos del cielo de veinte siglos nos alejan más de Dios y nos acercan más al polvo".

Parafraseando el mensaje esencial de Neil Postman, pronto conoceremos todo lo que no importa y nada de lo que sí.

La Era de la Razón

La Era de la Razón que Postman valoraba, lo que ahora describimos como ilustración, fue el eje central del Siglo XVIII y llegó a ser la base de la filosofía occidental y de la sociedad. Los grandes intelectuales y filósofos que en ese entonces poblaban la civilización occidental no siempre estaban de acuerdo entre sí, pero juntos lograron implantar en la sociedad una dependencia en la razón, una pasión por la reforma social y la confianza de que la autoridad moral hace parte integral del funcionamiento exitoso de la educación y la religión así como del comercio y las finanzas.

Estos líderes del pensamiento también creían en la supremacía del estado-nación y en la libertad de los seres humanos, ejemplificada por dos de los poderosos e influyentes tratados de Thomas Paine, *La Edad de la Razón* y *Los derechos del hombre*.

El apasionado ensayo de Paine, *Sentido común*, jugó un papel importante en la fundación de nuestra nación ayudando a llevar a los colonizadores americanos a entender el absurdo "de suponer que una isla puede gobernar perpetuamente a un continente", a ver la necesidad de "un gobierno que reuniera la mayor cantidad de felicidad individual con el menor gasto nacional", y a comprender que "entre más sencillo sea algo, menos posibilidades tiene de ser desordenado".[5]

Al igual que Paine, Thomas Jefferson y Alexander Hamilton hablaban elocuentemente de la razón, los derechos y la reforma. La correspondencia de John Adams, George Washington, James Madison, y otros de nuestros Padres Fundadores, está salpicada de los valores de la Era de la ilustración. Estos hombres fueron fuertemente influenciados por sus proponentes en Gran Bretaña y toda Europa, un "quién es quién" de la época, incluyendo a Edmund Burke, David Hume, Inmanuel Kant, John Locke, Sir Isaac Newton, Jean-Jacques Rousseau y Adam Smith.

A su vez, las ideas de estos filósofos surgieron en sus predecesores de antaño, otro salón de la fama que se extiende desde Homero, Sófocles, Sócrates, Platón, Aristóteles y Virgilio, hasta Dante, William Shakespeare, Sir Francis Bacon y John Milton, todos grandes pensadores y escritores que expresaron sus ideas con tal fuerza y claridad que aún en la actualidad siguen impresionándonos. Los héroes del Siglo XVIII, de la Era de la Razón, se pararon en los hombros de estos primeros héroes y es difícil imaginar nuestro mundo moderno sin sus aportes.[6]

El típico hombre del Siglo XVIII

Probablemente el paradigma del hombre del Siglo XVIII haya sido Benjamín Franklin. Lo cito aquí no sólo como una sobresaliente ilustración de los valores sino también como el

---

5. Creo que al final de este libro reconocerás la frecuente aparición de estos dos últimos temas.

6. Creo que sin los *Documentos Federalistas,* unos 85 ensayos, nuestra Constitución no habría logrado la aprobación de 9 de los 13 Estados necesarios para su adopción. (Al final fue ratificada por todos los 13 Estados, aunque con márgenes muy estrechos). Alexander Hamilton, autor de 52 de esos ensayos, eligió el seudónimo Publius, según uno de los fundadores y gran General de la República Romana, cuyo nombre llegó a significar "amigo del pueblo".

ciudadano más famoso de mi ciudad adoptiva, la ciudad del Amor Fraternal.

Los asombrosos logros de Franklin como Padre Fundador, granjero, hombre de Estado, diplomático, científico, filósofo, autor, maestro de la sátira y fuente de sabiduría terrenal, son ampliamente conocidos y merecidamente célebres. Pero su sorprendente emprendimiento, notorio para *cualquier* época, ofrece el mayor contraste en ciertos aspectos con relación a nuestra propia época.

En la grandiosa época del capitalismo actual, la palabra *empresario* ha llegado a verse usualmente asociada con quienes están motivados a crear nuevas empresas más que todo por el deseo de tener riquezas o incluso por codicia. Pero en realidad *empresario* simplemente significa "alguien que inicia una empresa", una persona que funda y dirige una organización. En el mejor de los casos, emprendimiento implica algo mucho más importante que sólo dinero.

Por favor no des por hecho mis palabras. De nuevo, presta atención a las palabras del gran Joseph Schumpeter. En su libro *Theory of Economic Development*, escrito hace casi un siglo, Schumpeter descartó las ganancias monetarias y materiales como la principal motivación del empresario, encontrando que motivaciones como las siguientes son mucho más poderosas:

"(1) La alegría de crear, hacer las cosas, simplemente ejercitar la energía y el ingenio propio, y (2) La voluntad de conquistar, el impulso a luchar... a tener éxito por el éxito en sí mismo y no por sus frutos".

Empresarios y capitalistas

Así que hay una diferencia entre empresarios y capitalistas. Como el biógrafo de Franklin, H.W. Brands lo dijo: "Si Franklin hubiera tenido el alma de un verdadero capitalista, el tiempo que ahorró imprimiendo lo habría dedicado a hacer dinero en otra parte".[7] Pero no lo hizo. Para Franklin, obtener dinero siempre era un medio para un fin, y no el fin en sí mismo. Las otras empresas que creó, así como sus inventos, estaban diseñados para el beneficio público y no para su beneficio personal. Incluso en la actualidad, la versión idealista de emprendimiento del Siglo XVIII del Dr. Franklin, es inspiradora. Cuando nos recordaba que "la energía y la persistencia conquistan todas las cosas", Franklin seguramente estaba describiendo sus propias motivaciones para crear y triunfar, usando la fórmula de Schumpeter, por la alegría de crear, ejercitar la energía e ingenio propios, la voluntad de conquistar y la alegría de una buena batalla.

La creación de Franklin de una compañía colectiva de seguros fue un ejemplo clásico de su método de emprendimiento enfocado en la comunidad. En el Siglo XVIII los incendios eran una gran y constante amenaza para las ciudades. En 1736, cuando apenas tenía 30 años de edad, Franklin respondió a esa amenaza fundando Union Fire Company, literalmente una brigada de personas armadas de baldes que protegían las casas de sus afiliados. En poco tiempo se conformaron otras empresas contra incendios en Filadelfia y comenzaron a competir entre sí de tal manera que en abril de 1752 Franklin se unió a sus colegas y fundaron Philadelphia Contributionship, que hasta hoy sigue siendo la compañía de seguros inmobiliarios más antigua de los Estados Unidos. Y él no se detuvo ahí. También fundó una biblioteca, una academia y una universidad, un hospital y una sociedad científica, ninguna de esas para su enriquecimiento, todas para el beneficio de su comunidad. ¡Nada mal!

Como muchos empresarios, Franklin también era inventor. De nuevo, su meta era mejorar la calidad de vida de la comunidad. Entre otros dispositivos, creó el pararrayos y la estufa Franklin (sin mencionar los lentes bifocales y las aletas de buceo). No procuró patentar el pararrayos para su propio

---

7. H. W. Brands, *Benjamin Franklin —The First American* (New York: Doubleday, 2000), 166.

beneficio y rechazó la oferta que le hiciera el gobernador de Commonwealth por adquirir la patente de su estufa Franklin, la "chimenea Pensilvania", su invención de 1744, la cual revolucionó la eficiencia en la calefacción de casas resultando en un gran beneficio para el público en general. Benjamin Franklin creía que el "conocimiento no es propiedad exclusiva de quien lo descubre, sino propiedad de todos en general. Cuando disfrutemos las grandes ventajas de las invenciones de otros, deberíamos alegrarnos por la oportunidad de servir a los demás con cualquier invención propia, y deberíamos hacerlo con libertad y generosidad".

A medida que la primera década del Siglo XXI se acerca a su fin, los nobles valores de Franklin del Siglo XVIII sobresalen en claro contraste ante las amargas guerras de patentes de la actualidad, las escabrosas demandas por salarios de ejecutivos de nuestras gigantescas corporaciones y la enorme remuneración que se les paga a los directores de fondos de cobertura (casi siempre sin importar si ganan, pierden, o si apenas sobreviven), y a la falta de colectividad, si así lo quieres, de tantos en nuestra vida cívica. De hecho, las diferencias rayan con lo espantoso.

El espectador imparcial

Mientras Benjamin Franklin es la personificación de la Era de la Razón, su contemporáneo del Siglo XVIII, Adam Smith (17 años más joven que Franklin), definitivamente es la personificación intelectual del funcionamiento de las economías. Su analogía de la mano invisible y cómo esta mueve la economía, descrita en *The Wealth of Nations*, sigue siendo un elemento importante de la filosofía económica actual. Como lo escribió Smith:

> *Cada individuo sólo busca su propia seguridad al dirigir su industria de tal forma que produzca el mayor valor, busca únicamente su propia ganancia, pero está movido por una mano invisible que lo lleva a un fin que no era parte de su intención...*

promover los intereses de la sociedad de forma más efectiva que si realmente pretendiera hacerlo.[8]

En la actualidad la mano invisible sigue siendo un poco conocida. Pero en nuestra época, el "espectador imparcial de Smith", que aparece por primera vez en su obra anterior *Theory of Moral Sentiments* es prácticamente desconocido a nivel universal. Sin embargo, misteriosamente, hace eco de los valores por los que Franklin vivía.

Ese espectador imparcial, nos dice Smith, es la fuerza que genera valores en nosotros que muy a menudo son generosos y nobles. Es el hombre interior, formado por la sociedad en la que vive —incluso el alma—, el que nos da nuestra vocación suprema. En palabras de Smith, "Es la razón, los principios, la conciencia los habitantes del alma, el hombre interior, el gran juez y árbitro de nuestra conducta.

El espectador imparcial nos dice, con una voz capaz de asombrar a la más presuntuosa de nuestras pasiones, que somos del montón, nada mejores que cualquier otro, y que cuando vergonzosa y ciegamente nos preferimos a nosotros mismos antes que a los demás, nos convertimos en objetos propios de resentimiento, aborrecimiento y abominación. Es sólo de él que aprendemos lo verdaderamente pequeños que somos. Es este espectador imparcial... quien nos muestra la conveniencia de la generosidad y la deformidad de la injusticia, la conveniencia de dominar nuestros mayores intereses, por el bien de los intereses superiores de los demás... a fin de obtener el mayor beneficio para nosotros mismos. No es el amor hacia nuestro prójimo, no es amor por la humanidad, lo que en muchas ocasiones nos impulsa a practicar esas divinas virtudes. Es un amor más fuerte, un afecto más poderoso, el amor por lo honorable y noble, el esplendor y la dignidad, la superioridad del carácter propio.[9]

---

8. Adam Smith, *The Wealth of Nations* 1776, disponible en internet en www.adamsmith.org/smith/won-intro.htm.
9. Adam Smith, *The Theory of Moral Sentiments* 1759. Disponible en internet www.adamsmith.org/smith/tms/tms-index.htm.

La elocuencia de Smith no deja de inspirarnos como ciudadanos de este Siglo XXI, con los mismos valores que ignoramos y que corremos el peligro de perder por completo. El espectador imparcial es una de las metáforas centrales que define los valores de este siglo.

"La historia moral de la empresa estadounidense"

La evidencia sugiere que los valores ostentados por Franklin y Smith no eran comunes entre los hombres de negocios de esa época. Sin duda, parece casi providencial que exactamente la misma edición de 1949 de *Fortune* que inspiró mi tesis de grado de Princeton incluyera un ensayo titulado "La historia moral de la empresa estadounidense". Aunque no tenía un claro recuerdo del contenido del ensayo, cuando lo volví a leer hace pocos años, estoy seguro de que lo leí en esa ocasión. Aun así, rápidamente me encontré pensando en los principios fundadores de Vanguard, los cuales me parecen estar relacionados con la clase de responsabilidad moral de las empresas, expresada en ese viejo ensayo de la revista *Fortune*.

El ensayo comenzaba señalando que el afán de lucro es difícilmente el único motivo detrás del trabajo de los líderes empresariales estadounidenses. Otros motivos incluían "el amor por el poder o el prestigio, el altruismo, la belicosidad, la esperanza de ser recordado por medio de un producto o una institución". Aunque reconozco libremente estos motivos, la vida es demasiado corta como para ser hipócrita, también estoy de acuerdo con *Fortune* en cuanto a la conveniencia de la tendencia tradicional de la sociedad estadounidense al preguntar: "¿Cuáles son las credenciales morales para el poder social que los hombres de negocios ejercen?".

El artículo de *Fortune* cita las palabras del hombre de negocios cuáquero, John Woolman, de New Jersey, quien en 1770 escribió que es "bueno aconsejarles a los clientes que compren los artículos más útiles y no los más costosos" y luego cita (casi inevitablemente) las palabras favoritas de Benjamin Franklin, industria y austeridad, como "los medios para producir riquezas y obtener virtud".

Pasando a 1844, el ensayo cita a William Parsons, "un comerciante de honestidad", quien describió al buen comerciante como "un hombre emprendedor dispuesto a correr algunos riesgos, pero no dispuesto a arriesgar en empresas peligrosas la propiedad que otros le han confiado a su cuidado, esmerado de no caer en extravagancias y de ser sencillo en sus hábitos y no ostentoso en sus costumbres, no sólo un comerciante, sino un hombre con una *mentalidad* para mejorar, un *corazón* para cultivar, y un *carácter* para formar".

Comerciante y hombre

La definición de *comerciante* y hombre que da Parsons, escrita hace más de 160 años, me pareció más que inspiradora, parecía dirigida directamente hacia mí. Las palabras sobre la prudencia, confiabilidad y sencillez del hombre emprendedor, me impactaron como descripciones exactas de las metas para mi propia carrera y mi vida. Y las tres cualidades que definían al comerciante como hombre, eran, creo, igual de adecuadas. En cuanto a la mentalidad, todavía lucho cada día, ¡seguro que sí! por mejorar mi propia mente, leyendo, reflexionando y retando aún mis profundas convicciones, y escribiendo sobre los temas del día con pasión y convicción.

En cuanto al corazón, nadie, ¡nadie!, podría deleitarse en la oportunidad de cultivarlo más que yo, después de haber descubierto ese diamante de un nuevo corazón hace más de 12 años. Y en cuanto al carácter, cualesquiera sean los estándares morales que puedo haber desarrollado durante mi larga vida, he tratado de invertir mi propia alma y espíritu en el carácter de la pequeña firma que fundé hace tantos años.

A una escala mucho mayor que sólo una vida humana, estos estándares de mente, corazón y carácter resuenan, como siempre, de forma idealista, en la forma como espero que los líderes de nuestras empresas productivas y nuestros directores financieros vuelvan a tratar de administrar los trillones de dólares de capital que les han sido confiados para su administración, poniendo la voluntad y el trabajo de nuestros negocios y empresas financieras al servicio de los demás.

Volviendo la administración al capitalismo

Mi temor, y parte de lo que me impulsa a seguir adelante en la misión que he elegido de hacer volver al capitalismo, las finanzas y la administración de fondos a sus raíces de mayordomía, es que en esta era impulsada por computadores y recargada de información, hemos olvidado las antiguas verdades que nos guiaron con éxito en el pasado. Pero aunque el compromiso de nuestra sociedad para con los valores del Siglo XVIII sigue desvaneciéndose, ese compromiso es casi inexistente. Me animan las pocas pero fuertes voces que se levantan en defensa de esos valores.

Por ejemplo, escucha una vez más al muy respetado hombre de negocios Bill George:

> *Los verdaderos líderes desean genuinamente servir a otros por medio de su liderazgo... Les interesa más darles poder a aquellos que están liderando para hacer una diferencia, que darles poder por el poder, por el dinero, o por el prestigio propio... Se guían por las cualidades del corazón, la pasión, la compasión al igual que por las cualidades mentales... Lideran con propósito, significado y valores... Desarrollan relaciones duraderas con los demás... Son consistentes y disciplinados. Cuando sus principios son puestos a prueba, se rehúsan a comprometerlos.*[10]

Como George lo muestra en su libro éxito en ventas, *Authentic Leadership*, estas son más que palabras inspiradoras. Las empresas auténticas lideradas por líderes auténticos crean

10. Bill George, *Authentic Leadership: Rediscovering the Secrets to Creating Lasting Value* (San Francisco: Jossey-Bass, 2003).

un desempeño empresarial sólido, desarrollando valor intrínseco para las empresas que lideran. Estos líderes le imprimen
integridad moral a la tela de la organización, y no solamente
crean picos en el valor de las acciones, sino un crecimiento sostenido de las utilidades e ingresos por acción. "El mejor camino
hacia el crecimiento a largo plazo en el valor de los accionistas",
escribe George, "viene de tener una misión bien articulada que
inspire el compromiso de los empleados y la confianza y credibilidad de los clientes".

Escucha, también, a la legendaria profesora de Leyes del
Boston College, Tamar Frankel en su apasionado libro *Trust and
Honesty: America's Business Culture at a Crossroad*:

> *La verdadera prueba de una sociedad honesta y productiva no es
> lo que una sociedad ha alcanzado, sino lo que procura alcanzar.
> Puede poner a personas honestas en un pedestal aunque no
> maximicen sus beneficios personales y preferencias... y descartar
> y rechazar como modelos de fracaso a las personas deshonestas
> que logran sus más elevadas ambiciones por medio del fraude y
> el abuso de confianza.[11]*

Ese eco del espectador imparcial nos da la perspectiva que
necesitamos. Bill George y Tamar Frankel ejemplifican las voces que nos permitirán mezclar los mejores ideales del Siglo
XVIII con las apremiantes realidades del Siglo XXI. Ellos son
la clase de pensadores que nos liderarán probablemente hacia
la más olvidada de todas las cualidades de ese antiguo siglo, la
característica central del Siglo XVIII que aquellas versiones de
emprendimiento, mutualismo e invención para el beneficio público tienen en común: *virtud*.

Sobre virtud

Hoy, *virtud* es una palabra que tiende a inquietarnos. Pero
definitivamente no avergonzaba a Benjamin Franklin. En 1728,
cuando apenas tenía 22 años, nos dice que "concibió el audaz
y arduo proyecto de llegar a la perfección moral...". Sabía, o

---

11. Tamar Frankel, *Trust and Honesty: America's Business Culture at a Cros-
sroads* (New York: Oxford University Press, 2006).

pensaba que sabía, qué era lo bueno y qué era lo malo y no entendía por qué no *siempre* hacía lo uno o evitaba lo otro. La tarea, nos dice, fue más difícil de lo que imaginó, pero finalmente hizo una lista de 13 virtudes, incluyendo templanza, silencio, orden, austeridad, laboriosidad, sinceridad y justicia, incluso clasificándolas en orden de importancia. Comenzaba cada día con "la pregunta de la mañana: ¿Qué cosa buena he de hacer hoy?" y terminaba con "la pregunta de la noche: ¿Qué cosa buena hice hoy?". Es difícil imaginar una filosofía de superación personal establecida de una forma más ética.

Incluso vista a través del lente cínico del Siglo XXI en lugar del idealismo del Siglo XVIII, confieso un sentido de maravilla ante la fortaleza moral del joven Franklin y su disciplinada superación personal. Mientras pocos de nosotros en la sociedad de hoy tendríamos la disposición para seguir una agenda escrita de virtud, Franklin había establecido, en sus propias palabras, el "carácter de integridad" que le daría mucha influencia sobre sus conciudadanos en la lucha por la independencia de los Estados Unidos.

Ese carácter también fue primordial en su dedicación por el bien público, fácilmente notorio en su emprendimiento, en el gozo que obtenía de sus creaciones y de ejercitar su ingenio, su energía y su persistencia. Y ese carácter también encontró su expresión en la permanente lucha de Franklin por equilibrar el orgullo con la humildad, una batalla que por lo visto hemos abandonado en esta era de luces brillantes, celebridades y dinero. Como Franklin lo escribió en su autobiografía:

> *En realidad, probablemente no tengamos otra pasión natural más difícil de dominar que el orgullo. Domínala, lucha contra ella, derrótala, ahógala, mortifícala lo que más puedas, y aun así seguirá estando viva y con frecuencia surgirá y se mostrará, probablemente la veas en mi historia porque incluso aunque pudiera imaginar que la he superado por completo, probablemente me enorgullecería de mi humildad.[12]*

12. Benjamin Franklin, *Autobiografía de un hombre feliz*. Editorial Taller del Éxito, www.tdee.com

Con franqueza, estas palabras sirven para recordarme que mi propio orgullo surge con mucha frecuencia y que mi propia humildad podría crecer un poco más.

La mente de Franklin es sin duda la mente del Siglo XVIII en funcionamiento, un modelo para nuestros tiempos. Es un contraste que nos recuerda que nos hemos empapado de suficientes valores del Siglo XXI, impulsados en gran manera por el interés propio, y de muy pocos valores del Siglo XVIII, cuando el espectador imparcial era nuestro guía y un sentido de propósito común impregnaba nuestra sociedad.

CAPÍTULO 10

Demasiado "éxito", poco carácter

El Reverendo Fred Craddock, un reconocido predicador de Georgia, puede haber estado imaginando cosas, como suelen hacer los predicadores, pero dice que esta historia fue real. El Dr. Craddock estaba de visita en casa de su sobrina. Allá tenían un viejo galgo, como los que corren por una pista persiguiendo conejos mecánicos. Su sobrina había entrado al perro para evitar que se hiciera daño ya que sus días de carreras habían terminado, así que el Dr. Craddock entabló una conversación con el galgo:

Le dije al perro: ¿Sigues compitiendo? No, respondió.

Bueno, ¿qué sucedió? ¿Ya estabas muy viejo para competir?

No, todavía podía competir un poco más.

Bueno, ¿entonces qué pasó? ¿No ganabas?

Gané más de un millón de dólares para mi dueño.

Bueno, ¿entonces cuál fue el problema? ¿Mal trato?

Oh, no, dijo el perro. Nos trataban como a la realeza cuando estábamos compitiendo.

¿Te lesionaste?

No.

Entonces ¿por qué?, insistí, ¿por qué? El perro respondió: Renuncié. ¿Renunciaste? Sí, dijo. Renuncié. ¿Por qué renunciaste?.

Renuncié sencillamente porque después de todas esas competencias, carrera tras carrera, me enteré que el conejo que perseguía ni siquiera era real.[13]

¿Una historia real? Bueno, probablemente no. Pero espero que la mayoría de nosotros sepa cómo se sentía ese viejo galgo. ¿Cuántas veces hemos corrido por la pista, persiguiendo al falso conejo del éxito, sólo para descubrir que el conejo real estuvo todo el tiempo frente a nuestras narices, esperando ser descubierto?

La medida defectuosa de la riqueza...

Para que quede claro, no me opongo al éxito. Pero como hay tantas posibles definiciones de éxito, trato de evitar el uso de esa palabra lo que más puedo.[14] En discusiones informales de grupo con mis compañeros de clase cuando estudiaba en Princeton, la definición convencional de éxito era el alcance de riquezas, fama y poder. Hace todos esos años esa definición me parecía lo suficientemente razonable, y aunque ha pasado más de medio siglo desde mis años de universidad, esa definición parece seguir siendo bastante razonable. El diccionario, sin duda, la confirma: "Éxito: el logro próspero de algo intentado, el alcance de un objetivo, usualmente riquezas o posición, según el deseo de cada persona".

---

13. Fred B. Craddock, *The Cherry Log Sermons* (Louisville, KY: Westminster John Knox Press, 2001).
14. Curiosamente, no recuerdo haber pensado mucho en tener éxito en la vida y tampoco me preocupó mucho el fracaso. Sencillamente nunca me concentré en las ideas abstractas. Más bien, creía que si daba lo mejor de mí, todos los días, más de lo que se me pedía que hiciera, mejor de lo que se esperaba que hiciera, mi futuro se haría cargo de eso.

Así que acepto el hecho de que las riquezas, la fama y el poder sigan siendo los principales atributos del éxito, *pero no en la forma convencional como todavía definimos esos elementos.* He llegado a reconocer que usar únicamente dólares para medir las riquezas es una mala medida, que los reconocimientos públicos son una mala unidad de medida para la fama y que el control que se tenga sobre otros no es la medida correcta del poder.

La riqueza financiera en realidad es una medida superficial del éxito. Si aceptamos que los dólares sean la unidad de medida, entonces "el dinero es la medida del hombre", y ¿qué podría ser más tonto que eso? Entonces ¿cómo *deberíamos* medir las riquezas? ¿Y qué de una vida bien vivida? ¿Y qué de una familia bien unida en amor? ¿Quién podría ser más rico que un hombre o mujer cuya vocación genera beneficios para la humanidad, o para sus conciudadanos, o para su comunidad o vecindario?

No es que el dinero no importe. ¿Quién de nosotros no busca los recursos suficientes para disfrutar plenamente su vida y libertad? Deseamos la seguridad de ser libres de la necesidad, la habilidad de seguir las profesiones que hemos elegido, los medios para educar a nuestros hijos y la comodidad y seguridad de la jubilación. ¿Pero cuántas riquezas se necesitan para cumplir estas metas? Sin duda deberíamos preguntarnos si las abundantes riquezas que vemos y los alcances más extremos de nuestra sociedad, así como la capacidad de adquirir una cantidad infinita de cosas en la vida, es más una maldición que una bendición.

...Y de la fama y el poder

La fama también es una medida defectuosa del éxito. Pero la fama, tristemente, parece ser el gran constructor de ego de nuestra era. Si aquellas personas que sólo buscan la fama se hicieran dos preguntas básicas: ¿De qué *fuente*? ¿Para *qué*? Sí, desde luego que la fama momentánea de nuestros héroes deportivos y la deslumbrante fama de nuestros actores nos dan la alegría de ver seres humanos funcionando al máximo de su potencial. Pero en el acelerado mundo de hoy, gran parte de ese brillo rara vez dura más que los metafóricos 15 minutos de fama que Andy Warhol nos prometió. Una cosa es alcanzar la fama gracias a logros reales. Otra muy diferente es la fama basada en el autoengrandecimiento, la fama no merecida, la fama que se obtiene de riquezas sustraídas a nuestras instituciones corporativas y financieras (¡e inversionistas!) y la fama que se usa para objetivos básicos.

Sólo soy un humano, así que debo confesar que he disfrutado de mis emocionantes roces con la fama. Desde luego quedé sorprendido y encantado cuando en abril del 2004 abrí la revista *Time* y vi que había sido incluido en su primera lista anual de las "100 personas más influyentes del mundo", en medio de un grupo de "héroes e iconos" como Bono, Nelson Mandela, Tiger Woods y el Dalai Lama. Sabía que no había sido elegido por mi swing en el golf (apenas funcional), ni por mi serenidad (¡completamente nula!), y supe que haber creado Vanguard y el primer fondo colectivo indexado me había puesto en esa lista. Aprecié mucho ese honor.

Pero también supe que, a pesar de la mucha riqueza que Vanguard y otros fondos indexados han generado para los inversionistas, también había otras 99 personas, quizá miles más, que habían tenido mucha mayor influencia que yo en la sociedad contemporánea, y millones más que han recibido muy poco o ningún reconocimiento, pero que han tenido un impacto enorme y positivo en sus propias comunidades. El hecho es que la mayoría de quienes hacen los mayores aportes al trabajo diario de nuestra sociedad, nunca tienen ni siquiera un momento del tipo de fama que implica reconocimiento favorable y adulación pública.

Y esto nos lleva al *poder*. Seguro, pocas personas son más conscientes que yo de lo emocionante que es tener el poder de dirigir una empresa. Ejercido sabiamente, el poder sobre el

personal que sirve a la compañía y el poder sobre la *cartera* corporativa, son muy divertidos, alimentan la autoconfianza y es
emocionante lograr los objetivos. Pero cuando el poder se usa
caprichosa y arbitrariamente, cuando se refleja en gratificacio-
nes sumamente excesivas y se emplea para generar fusiones que
elevan el ego (¡y mayores compensaciones!) y generan impru-
dentes gastos de capital con mayor probabilidad de reducir el
valor corporativo en lugar de aumentarlo, los perdedores no son
sólo los accionistas de la corporación, sino sus leales empleados,
y sin duda la sociedad en general.

Lo que deberíamos respetar es el poder con un propósito
valioso, el poder del intelecto, el poder de la conducta moral, el
poder de habilitar a aquellas personas con quienes trabajamos
para que crezcan en destrezas así como en espíritu, el poder de
asegurarles respeto a las almas más humildes hasta las más su-
blimes que se dedican a una empresa, el poder de ayudar a un
prójimo, el poder que es, parafraseando los antiguas palabras de
Adam Smith, "algo grande y hermoso y noble, que bien vale la
pena el esfuerzo y la ansiedad, para mantener en movimiento
la industria, el poder de la humanidad para inventar y mejorar
la ciencia y el arte, los cuales ennoblecen y embellecen la vida
humana". *Ese* es el poder que vale la pena buscar.

¿Entonces qué haremos con todas estas medidas mezcladas
de éxito? Simplemente esto: el éxito no se debe medir únicamente, ni siquiera elementalmente, en términos monetarios, ni
en términos de cantidad del poder que se pueda ejercer sobre
otros, ni en la ilusoria fama de la inevitablemente transitoria
aparición en público. Pero *puede* medirse según nuestras contribuciones para el desarrollo de un mundo mejor, en la ayuda que le prestemos a nuestro prójimo y en educar a nuestros
hijos para que lleguen a ser seres humanos amorosos y buenos
ciudadanos. En resumen, el éxito se puede medir no en lo que
logramos para nosotros mismos, sino en lo que aportamos a
nuestra sociedad.

El medio, no el fin

Admito que tengo un sesgo hacia la carrera de Negocios, en parte por razones egoístas (los negocios han sido el trabajo de mi vida) y en parte por genuina convicción. Las empresas producen los bienes y servicios que hacen que nuestra sociedad funcione, sin duda, eso hace que nuestras vidas sean tan cómodas. Las finanzas lubrican la maquinaria del capitalismo. Y el emprendimiento es la principal fuerza de la innovación. Es más, los hombres y mujeres ejecutivos en todos los niveles de una organización han sido la fuerza motora del capitalismo de los Estados Unidos, el cual ha hecho que nuestra increíblemente rica economía sea la envidia del mundo. Todo eso para bien, pero solamente mientras aquellas personas que han elegido la carrera de Negocios continúen preguntándose si están persiguiendo el falso conejo del *éxito* o el conejo real del *significado* definido por las contribuciones a nuestra sociedad, las cuales brotan de principios, virtud y carácter.

Ninguna profesión es la correcta si se emprende únicamente para conseguir riqueza, alcanzar fama o ejercer poder. Tampoco es la profesión correcta si se emprende para satisfacer las expectativas de otros. Y ningún triunfo es el triunfo correcto si se logra a expensas de la sociedad. ¿Cuál es la medida correcta? Tus propias expectativas y aprovechar al máximo tus talentos.

Una carga especial

Estoy convencido de que quienes nos comprometemos con profesiones ejecutivas y financieras llevamos una carga especial, pues es en los negocios y en las finanzas donde la mayoría de personas de nuestra sociedad ganan la mayor cantidad de dinero. Pero el dinero en sí nos puede engañar fácilmente respecto a lo que hacemos y por qué lo hacemos. Como nos lo recordó René Descartes hace cuatro siglos: "Un hombre no puede comprender un argumento que interfiera con sus ingresos". Así que definitivamente debemos retarnos a nosotros mismos para que los conejos que persigamos sean reales.

Compara a los hombres y mujeres de negocios con otros que *están* persiguiendo aquello que a mi parecer son los verdaderos conejos en la vida, como médicos, cirujanos y enfermeras, maestros y científicos, escultores y pintores, historiadores y músicos, autores y poetas, juristas y verdaderos servidores públicos, ministros, predicadores y rabinos, y así sucesivamente. Probablemente estas almas responsables y dedicadas se ganen nuestro respeto porque sirven a la sociedad sabiendo que acumular riquezas está prácticamente por fuera de la ecuación, que la gran fama es escasa y que el gran poder, por lo menos el poder temporal, sobresale por su ausencia.

Pero no te detengas ahí. Piensa también en las humildes personas que hacen el trabajo del mundo, como los electricistas y carpinteros, soldados y bomberos, plomeros y mecánicos, programadores de computadores y operarios de trenes, pilotos y navegadores, paisajistas y canteros, técnicos y granjeros y así sucesivamente. Nuestra sociedad no funcionaría sin esas buenas almas que se levantan en la mañana y cumplen con un día de trabajo duro y honesto, por lo general sin quejarse ni ser reconocidos, y rara vez tienen como recompensa los elusivos frutos del llamado éxito. Y aun así pocos de ellos necesitan preguntarse si los conejos que persiguen son reales. *¡Desde luego que son reales!*

"Deseo cumplir con una gran y noble tarea", escribió en una ocasión la siempre inspiradora Helen Keller, "pero mi principal deber es realizar tareas sencillas como si fueran grandiosas y nobles". El mundo se mueve al ritmo no sólo del impulso poderoso de sus héroes, sino también por la suma de los pequeños impulsos de cada trabajador honesto".[15]

---

15. Atribuído a Helen Keller en la obra de Charles L. Wallis, *The Treasure Chest* (San Francisco: HarperSanFrancisco, 1983).

Woodrow Wilson probablemente lo dijo de forma más elocuente:

> *El tesoro de los Estados Unidos no está en los cerebros del pequeño cuerpo de los hombres que ahora controlan las grandes empresas... Depende de las invenciones, de los emprendimientos, de las ambiciones de hombres y mujeres desconocidos. Cada país se renueva con las filas de los desconocidos, no con las filas de los ya famosos y poderosos que tienen el control.[16]*

¿Competencia de qué?

La vida tiene una manera para crear nuevos retos, y la riqueza de la vida americana actual ha creado sus propios retos, un sentimiento de derecho, de poder económico y de capacidad militar que ha ganado para nuestra nación la admiración, la envida y, sí, el odio de muchos seres humanos. Abiertamente acepto que el mundo en el que nuestros jóvenes están creciendo hoy es mucho más exigente que el inocente mundo de hace seis décadas cuando todavía podía considerarme joven. Los estudiantes de secundaria hacen el doble y hasta el triple en actividades de estudio, deportes y extracurriculares para poder ser admitidos en las llamadas mejores universidades. Cuando ya están en la universidad siguen esforzándose por obtener calificaciones para poder ingresas a las mejores escuelas de posgrado, y el ciclo de competencia sigue y sigue.

Hasta cierto punto, eso está bien. La competencia es parte de la vida. Pero vuelvo a preguntar ¿competencia de qué? ¿De calificaciones en pruebas o aprendizaje? ¿De forma en lugar de fondo? ¿De prestigio en lugar de virtud? ¿De certeza en lugar de ambigüedad? ¿De seguir los objetivos de otra persona en lugar de los propios? ¿Qué significado puede tener todo eso si no tienes honor ni carácter? Y ahí está el problema. Pues mientras que nuestros mejores y más inteligentes elementos están siendo

---

16. Woodrow Wilson y Ronald J. Pestritto, *Woodrow Wilson: The Essential Political Writings* (Lanham, MD: Lexington Books, 2005).

entrenados perfectamente para perseguir a los falsos conejos del éxito, en general están siendo mal entrenados en las cualidades intangibles que se convierten en las virtudes que generan el verdadero éxito.

"Sin carácter ni valor, nada es duradero"

En un ensayo publicado en *The New York Times* en noviembre de 2004, David Brooks lo expresó muy bien:

> "Los jóvenes altamente educados son instruidos, enseñados y supervisados en todos los aspectos de su vida, excepto en el más importante, que es el desarrollo del carácter. Pero sin carácter y valor, nada es duradero".[17]

Si no se enseña carácter, ¿cómo puede aprenderse? El mundo adinerado en el que actualmente muchos jóvenes ciudadanos viven, no facilita la habilidad para desarrollar carácter. Por lo general este necesita fracasos, adversidades, contemplación, requiere de determinación y constancia, de encontrar el lugar propio como individuo. Y seguramente requiere de honor. Pero al parecer, rara vez hacemos énfasis en el carácter, aunque en nuestra sociedad actual haya invaluables fuentes de inspiración a la mano. De hecho, el reto no es encontrar fuentes útiles de inspiración, sino elegir las que son verdaderamente mejores de entre las buenas. Aunque el Antiguo Testamento, por ejemplo, no usa la palabra *carácter*, lo describe hermosamente en estos términos:

> *¿Qué es el hombre, para que de él te acuerdes; y el hijo de hombre, para que lo visites? Salmos 8:4*

> *El temor del Señor es la enseñanza de la sabiduría, y antes de la honra está la humildad. Proverbios 15:33*

> *Riquezas, honra y vida son la remuneración de la humildad y el temor del Señor. Proverbios 22:4*

---

17. David Brooks, "Suicidio moral a la Wolfe", *New York Times*, noviembre 16, 2004, A27.

El que sigue la justicia y la bondad hallará vida, justicia y honra. Proverbios 21:21

El Nuevo Testamento también está lleno de abundantes recursos. Recuerda, por ejemplo, la advertencia de San Pablo: "Los que desean enriquecerse caen en tentación y trampa, y en muchas pasiones insensatas y dañinas que hunden a los hombres en ruina y perdición. Porque raíz de todos los males es el amor al dinero". O la exigencia de San Lucas ante quienes han sido bendecidos con mucho (quienes, ampliamente definidos, incluye a la gran mayoría de nosotros los estadounidenses de hoy): "Porque de todo aquel a quien le ha sido dado mucho, mucho se le demandará. Y aquel a quien confiaron mucho, se le pedirá más".

William Shakespeare también hizo su parte resumiéndolo todo de forma hermosa en estas familiares palabras de *Hamlet*. Profundas palabras de consejo que Polonio le da a su hijo Laertes cuando el joven está por partir a Francia:

"Y, sobre todo, sé fiel a ti mismo, pues de ello depende, como el día de la noche, que no puedas ser falso con nadie".

Así que sé fiel a ti mismo. *¡Sé tú mismo!* Y si no eres la clase de persona que sabes que deberías ser, la clase de persona que quieres y puedes ser, haz de ti una persona *mejor*. Puedes hacerlo, ya sea que tengas 16 o 60 años, o como yo, ya te estés acercando a las 9 décadas, ¡o incluso más allá!

Como el viejo galgo del Dr. Craddock, la edad puede frenarnos un poco, sin embargo lo que sí nos da es una conciencia más afilada en cuanto a cuáles conejos cuentan. El punto es este: cada uno de nosotros tiene en su interior, en su propia alma, la habilidad de ejemplarizar la definición que el diccionario da de la palabra *honor*. "Carácter elevado, nobleza de mente, desprecio a la mezquindad, magnanimidad, un fino sentido de lo que es correcto y un respeto por la dignidad y la virtud".

Preguntándonos acerca del conejo
que perseguimos

La mayoría de nosotros no debería dedicar mucho tiempo preguntándose si los conejos que está persiguiendo son reales o falsos. Los indicadores están por todas partes. Pero en la quietud de la noche y en la soledad de alma, muchos de quienes no *necesitarían* preguntarse sobre el valor del trabajo duro y la vida bien vivida, sin duda hacen precisamente eso. Pero ya sea que *ellos* se pregunten o no, seguramente cualquiera de nosotros que, gracias a las bendiciones de nacimiento, genes, talentos, fortuna, determinación y la ayuda de otros, alcance recompensas financieras de lo que es visto como éxito comercial, no merece tal exención. (Probablemente te sorprenda saber que medito en soledad con mucha frecuencia, y me pregunto sobre el valor de mi propia vida y carrera). Seremos mejores seres humanos y alcanzaremos mayores triunfos si nos retamos a nosotros mismos a seguir carreras que generen valor para nuestra sociedad, no teniendo las riquezas personales como la meta principal, sino como el subproducto. Mejor aún, al trazar ese reto para nosotros, desarrollaremos el carácter que nos sostendrá en nuestras labores.

Todos estamos juntos en la carrera humana, quienes emprenden las misiones más nobles de la vida, aquellos héroes anónimos que hacen que nuestro mundo funcione, y aquellos de nosotros que tenemos la suficiente fortuna de ganarnos la vida con nuestras profesiones en negocios y comercio, en finanzas y en los otros sectores altamente remunerados de la vida estadounidense. Así que en lugar de correr tras un conejo y luego enterarnos que es falso, y, como ese galgo que conocimos anteriormente, renunciar consternados, sencillamente asegurémonos de estar persiguiendo al verdadero conejo de la vida, dando lo mejor de nosotros en un mundo complicado, riesgoso e incierto, para servir a nuestro prójimo.

Cuando así sea, ¡sigamos corriendo, y corriendo, y corriendo, y corriendo! La larga carrera de una vida bien llevada. Hemos exaltado más de la cuenta la noción de éxito popularmente
definida por cierto tipo de riqueza material, fama y poder. Pero
casi no tenemos lo suficiente de una noción más elevada de
éxito, definida por un tipo de riqueza, fama y poder más espiri-
tuales sencillamente resumidas en una palabra: carácter. Y nunca
habrá suficiente carácter. Nuestra sociedad necesita que cada
uno de nosotros haga parte de la misión que ponga el carácter
como prioridad en nuestra agenda nacional. Podemos hacerlo.
Podemos apropiarnos de esa noble tarea.

¿Qué es triunfar con integridad?

¿Qué es triunfar con integridad para mí? ¿Para ti?¿Para Estados Unidos?

En un libro cuyo título es *Triunfe con integridad*, probablemente te preguntes: ¿Qué significa eso para Jack Bogle? ¿Qué significa para ti? Y la gran pregunta que hoy se cierne sobre los Estados Unidos, ¿qué significado tiene para nuestra sociedad?

La idea de suficientes *riquezas* era clara en la mente de Joseph Heller cuando hizo su comentario respecto a la observación de Kurt Vonnegut refiriéndose a las riquezas financieras de su anfitrión billonario. Pero, como ya lo sabes, he llevado la idea de tener *suficiente*, de no saltarnos los principios y valores y *triunfar con integridad* mucho más allá del dinero a nuestro sistema empresarial y a la vida que llevamos. Así que antes de hablar sobre las riquezas para mí, para ti y para los Estados Unidos, pensemos un poco más en la relación que hay entre la felicidad y el éxito, especialmente el tipo adecuado de éxito.

Albert Schweitzer tenía toda la razón. "*El éxito no es la clave de la felicidad sino que la felicidad es la clave del éxito*". Honestamente, creo que casi todos nosotros tenemos una muy buena noción de lo que es la felicidad y sabemos en qué medida la hemos encontrado en nuestra vida. Y todos hemos vivido en un grado u otro, tanto las alegrías como las penas de la vida, sus placeres y sus dolores, sus brillantes sorpresas y sus profundas decepciones. Pero en casi todos los casos llegamos a entender, nuevamente, que cualquiera que sea la circunstancia, buena o mala, "esta también pasará". Así que sobrevivimos y avanzamos. En general, nosotros los seres humanos somos un grupo resistente.

Los psicólogos acertadamente han descrito los tres principales elementos que definen la felicidad humana. El dinero sí da felicidad, pero tan pronto como nos acostumbramos a un nivel superior de riquezas materiales, termina siendo un tipo de felicidad transitoria. Según un acertado artículo de la revista *American Psichologist*[1], no es el dinero lo que determina nuestra felicidad, sino la presencia de una combinación de los siguientes atributos: (1) *autonomía*, el grado de habilidad que tenemos para controlar nuestra vida, "para hacer lo nuestro"; (2) *mantener la conectividad* con otros seres humanos en la forma del amor por nuestras familias, nuestro placer con los amigos y compañeros de trabajo y tener franqueza con las personas a quienes conocemos en todos los caminos de la vida; y (3) *el ejercicio de nuestras habilidades* usando nuestros talentos dados por Dios, automotivados, inspirados y esforzados por aprender.

Trágicamente, algunos desafortunados seres humanos nunca pueden desarrollar estos rasgos o ni siquiera tienen la oportunidad de hacerlo. Pero casi todos los que somos ciudadanos afortunados en cierto grado u otro, compartimos estas características y nos deleitamos en sus bendiciones.

Ahora que hemos considerado lo importante, es decir, el significado de la felicidad en nuestras vidas, miremos qué es *triunfar con integridad* en un contexto de dinero.

---

1. Revista *American Psychologist*, Richard M. Ryan y Edward L. Deci, "Teoría de la autodeterminación y la facilitación de la motivación intrínseca, el desarrollo social y el bienestar", *American Psychologist*, enero 2000.

¿Qué es triunfar con integridad para mí?

Permíteme hacer una confesión acerca de lo que es triunfar con integridad para mí al decir que, en mis ya 57 años de carrera, he tenido la fortuna de ganar suficiente, de hecho más que suficiente, para asegurar el futuro bienestar de mi esposa, dejar algunos recursos para mis 6 hijos (como suele decirse, "suficiente como para que puedan hacer todo lo que deseen, pero no tanto como para que no tengan que hacer nada"); dejarle algo a cada uno de mis 12 nietos; y al final añadir algo extra a la pequeña fundación que creé años atrás. La decisión de compartir mis bendiciones financieras con los menos afortunados refleja mi profunda convicción de que cada uno de nosotros que tiene la oportunidad de prosperar en la gran república, tiene la solemne obligación de reconocer su buena fortuna al devolver algo.

He podido acumular esta riqueza a pesar de dar, durante los últimos 20 años, la mitad de mis ingresos anuales a varias causas filantrópicas. Estas contribuciones no las considero caridad sino que las veo como un intento por pagar enormes deudas que he acumulado a lo largo de mi vida, incluyendo (no en un orden especial), la deuda por la fortaleza espiritual recibida y fortalecida por la iglesia en la que la mayoría de los miembros de nuestra familia expresan su fe, la deuda con los hospitales cuyos ángeles guardianes me cuidaron durante mi lucha de 5 décadas de enfermedad cardiaca, y la deuda con la comunidad de la Gran Filadelfia, por medio de United Way.

También he apoyado las grandes causas con las que he tenido la oportunidad de servir a nuestra sociedad, especialmente el magnífico Centro Nacional de la Constitución en Independence Mall, en Filadelfia, cuya meta es traer los valores de nuestra Constitución de los Estados Unidos de vuelta al centro de la vida estadounidense. He servido en este centro por más de 20 años, incluyendo casi ocho años como Presidente y, tuve el privilegio de presidir en su apertura en el año 2003.

También he dado lo mejor de mí para apoyar las instituciones educativas que allanaron el camino para mi vida adulta y mi profesión: La Academia Blair, la cual fomentó mi disciplina académica, abrió mi mente hacia un mejor entendimiento de las Matemáticas, la Historia, la Ciencia y el idioma inglés y me abrió una puerta hacia las oportunidades; y la Universidad de Princeton, que me ayudó a afilar mi mente y mi carácter e infundió en mí el gran respeto y aprecio que he desarrollado por la ilustración de la civilización occidental, pensadores, escritores y artistas, sin mencionar nuestros Padres Fundadores y, sí, los valores del Siglo XVIII que he sostenido hasta hoy.

"Se siembra y se cosecha". Así que mi mayor deleite filantrópico ha sido el de otorgar las becas Bogle Brothers a los estudiantes sobresalientes de Blair y Princeton que han sido los beneficiarios. Por mucho tiempo he tenido esta labor, desde cuando se presentó el momento, hace muchos años, cuando mis ingresos comenzaron a superar ampliamente los gastos de mi familia.

Fui becado en ambas instituciones y vi que tenía la gran obligación de devolver el favor, proveyendo fondos para becas de otros que las necesitaban por completo así como mis hermanos y yo las necesitamos. (Nuestra necesidad se reflejó en parte de la correspondencia entre el Dr. Breed, quien entonces era el Director de Blair y mi padre. El Dr. Breed le escribió a mi padre recordándole que debía pagar $100 dólares por nuestra matrícula, a lo que mi padre respondió en otra carta, "Lo siento, pero no tengo $100 dólares". Caso cerrado). Hasta ahora, unos 128 estudiantes de Blair y 110 de Princeton se han visto beneficiados con estas becas Bogle Brothers.

Ha sido muy emocionante conocer a tantos jóvenes excepcionales, e indirectamente he disfrutado de sus logros académicos. Estos excelentes ciudadanos ya han comenzado, o pronto empezarán a darse cuenta del potencial que tienen para servir no solamente a la sociedad de los Estados Unidos, sino también a nuestra sociedad global. Al observar a nuestra generación más joven en acción, mi confianza en nuestra nación y mis esperanzas por nuestro futuro se elevan al cielo.

Ahora un poco de contexto respecto a mis activos financieros: unos 87 miembros de la élite, —ahora incluidos en la lista *Forbes*, de las 400 personas más ricas de la nación—, han hecho sus fortunas en el campo financiero, ya sea por medio de la creación de empresas, la especulación, trabajo duro, o pura suerte. Tal como sucede, la mayoría de los fundadores de firmas de administración de inversiones (y usualmente sus sucesores también) han acumulado enormes cantidades de riquezas. El financista en la posición más baja en la lista tiene una riqueza estimada en $1,3 billones de dólares, y el que tiene la posición más alta (la familia Johnson, los propietarios de Fidelity) tiene un patrimonio de aproximadamente $25 billones.

Nunca he jugado en esas ligas mayores de más de un billón de dólares; ni siquiera he estado en sus ligas menores de más de $100 millones de dólares. ¿Por qué no? Simplemente porque siendo el fundador de Vanguard, creé una firma en donde la mejor parte de los beneficios se entregarían a los accionistas del fondo colectivo, verdaderamente *colectivo*, integrado por el Grupo Vanguard. De hecho, los ahorros acumulativos para nuestros accionistas, comparados con los de los accionistas de nuestros colegas, pronto superarán los $100 billones de dólares.

Estos ahorros se elevaron en gran parte debido a que operamos, como ya los has leído anteriormente, en una base de "costo". Como consecuencia, nuestra empresa de administración, Vanguard, la cual no es de mi propiedad sino de los fondos colectivos, en esencia obtiene un ingreso neto de cero. Sin embargo, mediante el Plan de Asociación que describí anteriormente, he obtenido un generoso pago,[2] compartiendo el enorme crecimiento de los activos de nuestro fondo, las altas utilidades obtenidas por nuestros fondos y nuestra exitosa búsqueda por reducir los costos por unidad sufragados por nuestros accionistas.

Así que, en comparación con casi todos, si no lo son todos, mis colegas en la industria, soy algo así como un fracaso financiero. (¡Probablemente les asombre el hecho de ser mucho más ricos que yo!) Supongo que se podría decir que el fracaso fue intencional (no es que yo hubiera tenido la premonición de que alcanzaríamos un tamaño tan grande, ni en realidad alguna idea de a cuánto podría estar renunciando al crear la estructura colectiva de Vanguard).

Pero por tres razones estoy muy bien, gracias. Primero, nací y fui criado para ahorrar en lugar de gastar.

No me gustan las extravagancias, y aun así me afecta un poco gastar en cosas que no son necesidades. Pero confieso que con alguna frecuencia, aunque a regañadientes, he roto esas reglas. Por ejemplo, tengo una debilidad por las pinturas de banderas, en gran parte impulsada por mi adquisición de reproducciones de obras clásicas de Jasper Johns y Childe Hassam. Pero no puedo recordar un sólo año durante mi larga carrera en el que haya gastado más de lo que gané.

Segundo, he sido bendecido desde que comencé a trabajar en 1951 con un excelente plan de jubilación de contribución

---

2. Divulgación completa: me siento impulsado a reconocer que he diferido parte de mi propia compensación, una práctica muy común entre los altos ejecutivos de la mayoría de corporaciones. Los montos diferidos son libres de impuestos pero la cuenta será completamente gravada sobre el valor total de la misma al momento del retiro. (Algunos planes de compensación diferidos acumulan intereses no con la tasa actual, como es el caso del mío, sino según tasas anuales ¡tan elevadas como el 13%!) Ambas situaciones exigen una reforma, con limitaciones sobre diferido acumulado a un monto razonable, y con una tasa de interés limitada conforme a las tasas del mercado.

definida, proporcionado desde el principio por Wellington Management, y luego llevado a Vanguard, en el que he seguido invirtiendo hasta hoy. La primera contribución de Wellington a ese plan se hizo en julio de 1951, 15% del sueldo de mi primer mes, el cual era de $250 dólares, es decir $37,50 dólares. El 15% de mi salario, el cual creció sustancialmente desde finales de los años 1980 hasta mediados de los años 1990, lo he seguido invirtiendo en mi plan de retiro (a lo cual luego añadí un plan de ahorro).

Después de renunciar a ser el Director Ejecutivo de Vanguard, he seguido separando el 15% de los modestos honorarios anuales que recibo de la firma. Todavía no me he jubilado, así que no tengo que reducir ninguna distribución. Mi experiencia es un testimonio viviente de cómo las humildes maravillas del plan de retiro de impuestos diferidos, el cual sólidamente invertido a largo plazo puede generar acumulación de riquezas. Mi propio plan de retiro es sin duda el único punto más grande del balance general de nuestra familia, y aunque prefiero no decir el monto exacto, su valor actual es poco menos que increíble.

Tercero, he invertido sabiamente, haciendo a un lado la especulación y concentrándome sólo en (¡sí, lo adivinaste!) invertir conservadoramente en fondos colectivos de bajo costo, primero en Wellington y luego en Vanguard. Durante los primeros años de mi carrera, invertí en Wellington Fund (acciones que todavía conservo) y luego, durante gran parte de mi carrera, invertí más que todo en fondos de capital de Vanguard. Pero a finales de 1999, (obviamente) preocupado por el nivel especulativo de los precios de acciones, reduje mis acciones a un 35% de activos, aumentando así mi posición de bonos a aproximadamente un 65%. Aunque las fluctuaciones del mercado de bonos y de acciones han cambiado un poco, desde entonces no he hecho ninguna modificación a mi asignación de activos. E incluso en los turbulentos mercados de la actualidad, hago mi mayor esfuerzo por evitar la tentación de darle una mirada al valor de mis participaciones en el fondo. (¡Una buena regla para todos nosotros!).

Así que he sido muy bendecido por la combinación mágica de mis genes de ahorro escoceses, mi generosa remuneración, mi propensión a ahorrar lo que quede cada año, el milagro matemático de la composición libre de impuestos; el saber que en las inversiones los costos importan mucho; y suficiente sentido común para concentrarme en una equilibrada distribución de activos. Esto lo he dicho muchas veces. Ahora que personalmente he recorrido este camino, puedo afirmar que es cierto. ¡Funciona!

¿Para ti?

Cualquiera que cultive la Divina Proporción, evita la pobreza de una choza y la envidia de un palacio.

Esa es la norma que el poeta romano Horacio nos enseñó hace aproximadamente dos milenios atrás, y es una norma igualmente válida para hoy. Seguramente mis propios recursos me ponen dentro de esa Divina Proporción, aunque evidentemente en una parte alta; de hecho, en relación con nuestra sociedad en general, me ubica en un lugar alto con respecto a los ciudadanos estadounidenses.

Tengo la certeza de que prácticamente todos los lectores de este libro también conocen la Divina Proporción descrita por Horacio. Tras años de conocer a miles de accionistas de Vanguard y recibir cartas y correos electrónicos de miles más, he aprendido que muchos de ellos, (sin duda la mayoría) tienen la seguridad de haber acumulado suficiente como para satisfacer sus propias necesidades y deseos. Difícilmente puedo encontrar las palabras para expresar lo agradado que me siento al ver que mi humilde visión respecto a cómo invertir con éxito ha jugado un papel tan importante en ese resultado.

Cuando a John D. Rockefeller le preguntaron cuánto era suficiente, él respondió, "sólo un poco más". Pero para la mayoría de nosotros, como se dice, *suficiente* es $1 dólar más de lo que necesitas. Y esa es una muy buena manera de verlo. Pero la pregunta es más complicada que eso. Recientemente, la reseña de

Wall Street Journal sobre el libro *Whatever Happened to Thrift?* procuró responder a la pregunta "¿Tienen los estadounidenses lo suficiente?"[3] con la siguiente respuesta: "Eso depende del significado de la palabra 'suficiente'. ¿Suficiente para nuestro propio bien? ¿Suficiente para nuestros vecinos? ¿Para nuestros nietos? ¿Para los nietos de nuestros vecinos y los vecinos de nuestros nietos?... Desde cualquier punto de vista", concluye la reseña, "ahorramos muy poco". Y, desde luego, para casi todos nosotros, ahorrar desde temprano, con frecuencia y mucho, es la clave para la acumulación de riquezas. *Es* tan simple como eso.

Otra manera comprobada de mejorar la acumulación de tus ahorros es posponiendo lo que más puedas los primeros pagos de Seguridad Social. (El beneficio máximo para una pareja casada a la edad de 62 años era de aproximadamente $28.800 dólares en el año 2008; a la edad de 70, cuando los pagos *deben* comenzar, sería de $47.700.) Aun así, otra forma (¡esto ya lo has oído antes!) es invertir en lugar de especular. Administra siempre los costos de inversión. Incluso, la reseña de ese libro en *Wall Street Journal* mencionó dos principios. "Moraleja: quédate con fondos de tasas bajas. Moraleja mayor: hay algunas cosas muy sencillas que todos podemos hacer para llegar a ser inversionistas más sabios".

Cuando planees tu futuro financiero, no te engañes concentrándote en las utilidades *brutas* nominales de acciones y bonos; resta los costos asociados que esperas y trabaja con las utilidades netas. Luego asume que incluso esas utilidades se verán reducidas por la inflación. (Elige el número: ¿2,5%? ¿3,5? ¿4,5? ¿Más?) Establece metas realistas que razonablemente puedas aspirar alcanzar. Te podría dar docenas de consejos adicionales respecto a cómo tener suficiente y con integridad, pero sencillamente estaría repitiendo lo que he escrito en *Bogle on Mutual Funds* (1993), *Common Sense on Mutual Funds* (1999), y *The Little Book of Common Sense Investing* (2007).

---

3. Steve Landsburg, "Mucho más que un centavo ganado", *Wall Street Journal,* junio 5, 2008, A19. Reseña de *Whatever Happened to Thrift?* por Ronald T. Wilcox (New Haven, CT: Yale University Press, 2008).

¿Para los Estados Unidos?

Parece probable, incluso posible, que la mayoría de ustedes tenga lo suficiente para vivir con integridad según un nivel de vida razonable y agradable, o sea lo suficientemente inteligente en cuanto a finanzas como para alcanzar el estándar de *suficiente pero con integridad* para cuando llegue el momento de su jubilación, cuando la acumulación de riquezas disminuya y comience la distribución de la misma. Pero, en la consciencia, no me atrevo a dejar de reconocer la difícil situación de literalmente millones de conciudadanos que *no* tienen suficiente, y que *nunca* tendrán suficiente para vivir conforme a un estándar tan relativamente alto.

Aunque en toda la sociedad los ricos son cada vez más ricos, hay amplios segmentos de la ciudadanía estadounidense en donde los pobres siguen siendo vilmente pobres. Por ejemplo, según un reciente estudio publicado en *The New York Times*, el 5% de los residentes más adinerados de Manhattan ganó más de $500.000 dólares en el año 2006, y el 20% ganó más de $300.000.[4] Pero el 20% más pobre de asalariados llevó a casa un sueldo promedio de solamente $8.855 dólares. ¡Piensa en eso!

Comparto la preocupación del columnista del *Times*, David Brooks respecto a lo que él describe como "esta espantosa polarización financiera":[5]

> *Por un lado, está la clase inversionista. Tiene planes de ahorro con impuestos diferidos, así como un ejército de asesores financieros. Por otro lado, está la clase de lotería, personas con poco acceso a los planes financieros 401(k) pero con pleno acceso a prestamistas informales, tarjetas de crédito y agentes de lotería... La flacidez de la inhibición financiera ha implicado más opciones para los bien educados, pero más tentación y caos para los*

4. Sam Roberts, "El censo dice que la brecha entre los ricos de Nueva York y los Pobres es la más grande de la nación", *New York Times*, agosto 29, 2007, B3.
5. David Brooks, "The Great Seduction," *New York Times*, junio 10, 2008, A23.

más vulnerables. Las normas sociales, es decir, las amenazas invisibles que dirigen el comportamiento, se han deteriorado. Durante los últimos años, los estadounidenses han sido socialmente más conscientes respecto a la protección del medio ambiente y al consumo de tabaco. Pero han perdido consciencia social respecto al dinero y las deudas.

Quienes somos miembros de lo que David Brooks describe como la clase inversionista, podemos sentirnos orgullosos por nuestra buena fortuna y austeridad. Pero aunque prosperamos en los grandes beneficios de nuestra civilización estadounidense, debemos recordar que una gran parte de nuestros ciudadanos no comparte estos beneficios. La Declaración de Independencia nos afirma que "todos los hombres son creados iguales, que su Creador los ha dotado de derechos inalienables, entre los que se encuentra la vida, la libertad y la búsqueda de la felicidad".

Aunque todos podemos haber sido creados iguales, nacemos en una sociedad en donde la desigualdad, —de familia, educación, y sí, incluso de oportunidad—, comienza tan pronto se nace. Pero nuestra Constitución exige más. "Nosotros, el pueblo" estamos obligados "a formar una unión más perfecta, establecer justicia, asegurar la tranquilidad nacional...". Promover el bienestar general y asegurar las bendiciones de la libertad para nosotros y nuestra descendencia. Estos compromisos, especialmente con una unión *más perfecta*, con *la justicia*, para todos, con la *tranquilidad* nacional, y el bienestar *general*, no son sólo palabras, representan el reto de nuestra época.

¡Al fin de cuentas, desde luego, los estadounidenses parecemos tener suficiente de aquellas cosas que podemos medir! Siendo el 4% de la población mundial, generamos el 21% de la producción, consumimos el 25% y recibimos el 26% de los ingresos mundiales. Nuestra riqueza no tiene igual, así como tampoco nuestro poder militar, aunque las guerras en países lejanos están consumiendo asombrosas cantidades de nuestro tesoro. Seguimos importando mucho más de países extranjeros que lo que les exportamos a ellos, resultado de nuestra *mínima* tasa de ahorro nacional (la cual, según cálculos del gobierno se acerca a cero). Las debilidades de nuestro dólar estadounidense ante los mercados de divisas internacionales es un mal presagio para el futuro.

Es más, la verdadera tasa de crecimiento de nuestra economía, la cual actualmente se encuentra en aproximadamente el 3% anual, está muy por debajo de las tasas de crecimiento de los gigantes emergentes como China (9%) e India (6%). Aunque estas altas tasas de crecimiento son insostenibles en una pequeña base, deberíamos tener presente que nuestro dominio sobre la economía global y los mercados financieros globales sobre los que se basa esa economía, no durará para siempre.

Pero, siguiendo con el ánimo de analizar, el cual impregna este libro, aunque en los Estados Unidos pareciera que tuviéramos suficientes cosas, nuestros valores tradicionales parecen estarse erosionando y en poco tiempo no tendremos casi nada. Así que nunca olvidemos que a largo plazo, no son las cosas, ni el poder, ni el dinero los que conforman el corazón de una nación. Sino sus valores, los mismos valores aplicados a la sociedad que he descrito en este libro para nosotros como individuos: la persistencia, la resistencia, las normas morales y la virtud que han hecho que esta sea una gran nación. En conclusión, la pregunta no es si los Estados Unidos tienen suficiente dinero, suficiente riqueza productiva para mantener y mejorar su presencia y poder globales, sino, más bien, si los Estados Unidos tienen suficiente carácter, valores y virtud para hacerlo.[6]

Como en alguna ocasión lo dijo H.L. Mencken: "El principal valor del dinero está en el hecho de que vivimos en un mundo en el que este es sobrevalorado". (Eso fue hace 60 años, imagina qué habría dicho hoy). Y es por eso que quiero dejarte con este mensaje: Lo que se puede contar, pesar y gastar es sólo una pequeña parte de lo que es *suficiente*. Para entender el signi-

6. El ex-Presidente Bill Clinton ha expresado bien esta idea. "La gente de todo el mundo siempre se ha visto más impactada por el poder de nuestro ejemplo que por el ejemplo de nuestro poder".

ficado de *suficiente* en el cuadro completo de la existencia, todos debemos tener presente las muchas otras cosas que cuentan en esta vida, aunque (según el letrero en la oficina de Einstein) no pueden contarse.

La idea de que el dinero no lo es todo nos lleva de vuelta a la historia de Kurt Vonnegut con la que inicié este libro. Cuando finalmente encontré la fuente del relato, resultó ser un poema publicado en la revista *New Yorker* en el 2005:

Historia real, palabra de honor:

Joseph Heller, un escritor importante y divertido ya fallecido, y yo, estábamos en una fiesta cuyo anfitrión era un millonario de Shelter Island.

Yo dije: "Joe, ¿cómo te sientes al saber que nuestro anfitrión sólo durante el día de ayer puede haber ganado más dinero que lo que tu novela 'Catch-22' ha ganado durante toda su historia?".

Y Joe dijo, "Yo tengo algo que él nunca podrá tener".

Y yo dije: "¿Qué podría ser eso?".

Y Joe dijo, "Saber que tengo suficiente".

¡Nada mal! ¡Descansa en paz![7]

Descansa en paz, sin duda, para Heller y Vonnegut, quienes partieron a comienzos del año 2007. Estos dos hombres le dieron muchas risas al mundo, capturaron muchas de las ironías de la existencia humana y pincharon muchos egos demasiado inflados. Pero no es un descansa en paz para el resto de nosotros. Todavía hay mucho trabajo por hacer en el mundo y nunca hay suficientes ciudadanos con corazones decididos, carácter valiente, mentes inteligentes y almas idealistas para hacerlo.

---

7. Kurt Vonnegut, "Joe Heller," *New Yorker*, mayo 16, 2008, 38. Reimpreso con permiso Derechos de autor © Donald C. Farber, Depositario de confianza bajo la voluntad de Kurt Vonnegut, Jr.

Sí, nuestro mundo ya tiene suficiente odio, armas, trivialidades políticas, arrogancia, falsedad, intereses propios, esnobismo, superficialidad, guerra y la seguridad de que Dios está de nuestro lado. Pero nunca ha tenido suficiente amor, consciencia, tolerancia, idealismo, justicia y compasión, ni suficiente sabiduría, humildad, autosacrificio por el mayor bien, integridad, cortesía, poesía, risas y generosidad y espíritu. Si al leer este libro no te quedas con nada, recuerda esto: el gran juego de la vida no se trata de dinero, se trata de hacer tu mejor esfuerzo para unirte en la batalla de volver a construirnos a nosotros mismos, a nuestras comunidades, a nuestra nación y a nuestro mundo.

Mi emocionante odisea

Antes de concluir, quisiera que consideraras estos extractos de un poema que, cuando lo leí por primera vez a finales de mi carrera, parecía (similar a ese artículo sobre las credenciales morales de las empresas estadounidenses de la revista *Fortune* en 1949) estar dirigido a mí. Las palabras son una parte de Alfred, en la obra *Ulises* de Lord Tennyson, cuando el poeta describe las notorias odiseas de antaño del aventurero. Espero que puedan explicarte, mucho mejor de lo que podría hacerlo yo con mis propias palabras, las emocionantes aventuras que he disfrutado, las emociones encontradas que he vivido y la determinación obstinada con la que espero, con gran anticipación, los últimos capítulos aún no escritos de mi larga carrera.

Ulises comienza reflexionando en su odisea:[8]

> *No puedo descansar del viaje:*
> *Me beberé la vida hasta los posos,*
> *Siempre he disfrutado y sufrido intensamente,*
> *tanto con quienes me han amado, como solo.*
> *Me he convertido en un nombre;*
> *ya que siempre viajando con un corazón hambriento*
> *mucho he visto y conocido;*

---

8. Alfred, Lord Tennyson, *Poems* (London: Penguin, 1985).

ciudades de hombres y modales,
climas, concejos, gobiernos,
yo mismo no en menor grado,
sino que he sido honrado de todos ellos;
y con el embriagador deleite de la batalla con mis pares.
Soy parte de todo lo que he conocido.

Luego él considera lo que puede estar por venir:

Qué tedioso es pausar para finalizar
Oxidarse sin pulimiento,
¡No brillar en el uso!
¡Como si respirar fuera vida!
Vida amontonada sobre vida fue muy poca,
y de una a mí poco me queda:
Pero cada hora es rescatada
de ese silencio eterno, algo más,
Heraldo de cosas nuevas,
y vil sería por tres soles guardarme y acumularme,
y este gris espíritu nostálgico de deseo
de seguir el conocimiento como una estrella que se hunde,
más allá de los últimos confines del pensamiento humano.
La edad avanzada tiene aún su honor y su esfuerzo;
la muerte lo cierra todo: pero algo antes del fin,
algún trabajo de nota noble, aún puede ser hecho.

Luego, decidido a aceptar una última misión, Ulises invita
a sus seguidores:

Vamos, amigos,
No es tarde para buscar un mundo más nuevo.
Empujen, y sentados en orden, golpeen
Las sonoras estelas; porque mi propósito se mantiene
Navegar más allá del ocaso hasta que muera.
Si bien mucho ha sido arrebatado, mucho queda, y si bien
No somos ahora esa fuerza que otrora

Movió el cielo y la tierra, aquello que somos, lo somos;
Un mismo temple de corazones heroicos,
Renovados por el tiempo y el destino, pero fuertes en voluntad
Para luchar, buscar, encontrar y no rendirnos.[9]

Ser "fuerte en voluntad, luchar, buscar, encontrar y no rendirnos" es de lo que se ha tratado toda mi vida. Sí, sin duda
he sido bendecido con suficiente, he tenido riquezas, familia
y amigos maravillosos, en una carrera que ha buscado darle un
buen trato a los inversionistas y en una misión diseñada para
abrir los ojos de nuestros ciudadanos ante serias fallas e injusticias de nuestro negocio y sistema financiero.

Suficiente, espero que sea justo decirlo, para inspirar a otros
hacia una introspección más reflexiva respecto a la condición
humana y a las aspiraciones humanas. Pero nunca, ¡nunca!, suficiente para ser autocomplaciente y autoindulgente. Este libro
probablemente le ayude a cada uno de ustedes a encontrar más
que suficiente en el camino de la ilustración y el idealismo,
virtudes que enriquecerá más sus vidas y las vidas de sus seres
queridos.

---

9. En la penúltima línea del poema, me he tomado la libertad de revisar
las palabras de Tennyson. Él escribió: "Debilitado por el tiempo y el destino, pero de voluntad fuerte". Nunca pudo haberse imaginado que un
corazón latiendo podía trasplantarse de un ser humano a otro.

Epílogo

Una nota personal sobre mi carrera

En el año 2007 fui invitado a ofrecer una conferencia en un congreso de liderazgo para directores ejecutivos, patrocinado por la Universidad de Yale. Como estaba encasillado como el viejo caballo de batalla del grupo, hice énfasis en un tema que me pareció retrospectivo y prospectivo al mismo tiempo. "¿Por qué me tomo la molestia de batallar?". Resulta que en aquellos días, los libretistas de televisión se encontraban en huelga, así que, asumiendo que los participantes del congreso probablemente no tenían buen humor nocturno, decidí enmarcar mi charla con el formato de una de esas listas regresivas de los "Top Ten" del programa *Late Show with David Letterman*.

Probablemente a mi lista le faltaba mucho para ser cómica. (¡Recuerda que soy economista!) Pero como la suma de lo que me ha impulsado durante toda mi vida y sigue impulsándome hoy, fue apropiada para la ocasión:

10. Miserable de mí, si sé por qué me tomo la molestia de batallar. Simplemente lo hago, y no sé cómo parar.

9. Porque en todas las casi 9 décadas de mi vida, nunca he hecho algo *diferente* a batallar, repartiendo periódicos en mi niñez, luego trabajando como mesero en mi juventud (en muchos lugares), vendiendo tiquetes, siendo empleado de correos, reportero novato, corredor de bolsa, hasta acomodando bolos en una bolera (¡como ya lo he mencionado!); y como hombre, luchando la batalla por el progreso personal, por la atención, por la innovación, por el servicio a la sociedad, y sí, incluso por el poder y la esperanza de ser recordado. (¡También debo admitirlo!). Esa es una razón por la cual escribo libros, incluyendo este.

8. Porque los grandes guerreros de la Historia siempre han sido mis héroes. Piensa en Alexander Hamilton. Piensa en Teddy Roosevelt. Piensa en Woodrow Wilson. ¡Caramba! Piensa en el mismo Rocky Balboa de Filadelfia.

7. Porque al final, todos esos guerreros perdieron sus batallas. Yo lucho por ser la excepción.

6. Porque en el campo de los fondos colectivos, ninguna otra persona en el sistema está luchando por traer de vuelta nuestros valores de confianza y nuestra elevada promesa de servicio a los inversionistas. Alguien tiene que hacerlo. Siguiendo el proceso de eliminación, me dieron el trabajo.

5. Porque cuando el guerrero está más solo, fija más su atención hacia la misión. Si tienes un ego grande (yo lo tengo), es un beneficio extra, especialmente porque quienes están *por fuera* del sistema, nuestros inversionistas "de a pie", ejemplificados por el Bogleheads del internet, me dan la fuerza para seguir adelante.

4. Porque lamentablemente ya no juego squash y jugar golf en campos crecidos ahora es como un estiramiento. Entonces ¿qué más puedo hacer sino transferir el espíritu de esas viejas batallas de los campos de combate atlético a los campos de combate para el mejoramiento de la sociedad en general?

3. Porque aquello por lo que estoy luchando, la reconstrucción del sistema financiero de nuestra nación, a fin de darles a nuestros ciudadanos/inversionistas un trato justo, es *lo correcto*. Matemáticamente correcto. Filosóficamente correcto. Éticamente correcto. Llámalo idealismo, y es tan fuerte, o probablemente más fuerte que como lo era cuando escribí esa idealista tesis en Princeton hace 57 años. ¿Cómo podría un idealista fracasar en esa batalla?

2. Porque aunque lucho, me encanta dar y recibir, la competencia, el reto intelectual de mi campo, el ardiente deseo de dejar todo lo que en mejores condiciones que como lo encontré. Usando la fórmula de Robert Frost, mi batalla es "una pelea de amantes" con nuestro mundo financiero.

1. Sencillamente porque soy un guerrero por naturaleza, nacido, educado y criado para trazar mi propio camino en la vida. Una vida así exige la clase de pasión que evocan de las palabras del gran escultor del Monte Rushmore, Gutzòn Borglum: "La vida es como una campaña. Las personas no tienen idea de la fuerza que llega al alma y al espíritu por medio de una buena pelea".

Aunque sencillamente no puedo imaginar que mi propia alma y espíritu lleguen a desvanecerse, en el fondo sé que no tengo al tiempo a mi favor. Así que seguiré peleando la batalla hasta que mi mente y fuerzas finalmente comiencen a menguar. Sólo entonces, espero que sea dentro de muchas lunas, tomaré tiempo para deleitarme en las memorias de todas las maravillosas batallas que he peleado durante mi larga vida. Después de todo, parafraseando a Sófocles:

"Debemos esperar hasta la noche para apreciar
el esplendor del día".

Reconocimientos

E ste libro fue inspirado por el corto poema escrito por Kurt Vonnegur publicado en el *New Yorker* en el año 2005. Ese poema inspiró el discurso de graduación que di en la Universidad de Georgetown dos años después, el cual a su vez me inspiró a pensar que la idea de "suficiente" podía extenderse y abarcar pensamientos no solamente acerca del dinero (el enfoque del poema) sino también de los negocios y la vida. (Debí haber aclarado que las fuertes posiciones que expreso respecto a estos temas no necesariamente reflejan las perspectivas de la administración actual de Vanguard).

Mientras pensaba en la idea del libro, rápidamente vi que sin duda en cierto sentido, por lo menos durante varias décadas había estado considerando estas ideas de una manera un tanto descoordinada desde mi lejana juventud. Sin duda, muchos de los discursos que di a través de los años parecían ya estar listos para encajar en el patrón de organización que desarrollé para este libro. La mayoría nunca habían sido publicados, así que plasmar las ideas en forma de libro, algunas viejas, otras nuevas, pero todas relevantes para el tema de *Triunfe con integridad*, les daría una duración que no sería posible de otra forma.

Pero confieso que probablemente en media docena de casos, algunas de mis palabras en el libro y algunas citas que he mencionado han aparecido en mis obras anteriormente publicadas. Aunque pensé en no hacerlo, llegué a la conclusión de que si había tenido razón en la primera ocasión, y ampliaba el tema que estaba tratando en esta ocasión, sería tonto no permanecer con la versión original.

Quiero agradecerle a Howard Means por ayudarme a reunir todo este material. También quiero agradecerle a tres lectores del manuscrito por sus valiosos comentarios: William J. Bernstein, neurólogo, asesor de inversiones, y prolijo autor, su obra más reciente: *A Splendid Exchange*; Andrew S. Clarke, un Director de Vanguard quien hace una década trabajó conmigo en *Common Sense on Mutual Funds* ; y Elliot McGuckin, PhD. de la Universidad Pepperdine, cuyo curso "El viaje de los héroes en el emprendimiento artístico y la tecnología" es un tributo inspirador a la relevancia de los ideales clásicos en nuestra vida moderna.

Sin la ayuda de mi equipo del Centro Bogle para la Investigación de Mercados Financieros de Vanguard, haber llevado la sencilla idea expresada en un corto poema a su florecimiento en forma de libro, habría sido prácticamente imposible. Así que le extiendo un especial agradecimiento a Emily Snyder y Sara Hoffman por sus esfuerzos, siempre bajo la presión del tiempo, abriéndose camino en medio de mi difícil escritura, escribiendo y editando sin parar. También saludo a Kevin P. Laughlin, mi asistente de Personal durante los últimos nueve años, por su admirable desempeño, haciendo investigación a petición, verificando la precisión, y haciendo valiosas sugerencias editoriales que hicieron de este un mejor libro. Por sobre todo, cada una de estas maravillosas personas hizo su trabajo con infinita paciencia, buen ánimo y excelencia profesional.

Hablando de paciencia y buen ánimo, también agradezco a Eve, quien ha sido mi maravillosa esposa por 52 años, por su cuidado y amoroso apoyo a lo largo de todos estos años y en medio de los tiempos buenos y los tiempos no tan buenos, aunque se pregunta el por qué de mi compromiso por seguir luchando, hablando y escribiendo libros. ¡Desde luego que tiene razón al hacerlo!

J. C. B.

Triunfe con integridad

de John C. Bogle

Esta obra se terminó de imprimir en
septiembre de 2012 en Cargraphics, S.A. DE C.V.
Calle Aztecas No. 23, Col. Santa Cruz Acatlan
Naucalpan, Edo. de México C.P. 53250